FRANZ GRILLPARZER

Der Traum ein Leben

Dramatisches Märchen in vier Aufzügen

NACHWORT VON
HELMUT BACHMAIER

PHILIPP RECLAM JUN. STUTTGART

Der Text folgt, bei behutsamer Modernisierung der Ortho-
graphie: Franz Grillparzer: Sämtliche Werke. Historisch-
kritische Gesamtausgabe. Herausgegeben von August Sauer
und Reinhold Backmann. Erste Abteilung. Fünfter Band.
Wien: Schroll, 1936.

Universal-Bibliothek Nr. 4385
Alle Rechte vorbehalten
© 1982 Philipp Reclam jun. GmbH & Co., Stuttgart
Gesamtherstellung: Reclam, Ditzingen. Printed in Germany 1998
RECLAM und UNIVERSAL-BIBLIOTHEK sind eingetragene Marken
der Philipp Reclam jun. GmbH & Co., Stuttgart
ISBN 3-15-004385-9

PERSONEN

Massud, *ein reicher Landmann*
Mirza, *seine Tochter*
Rustan, *sein Neffe*
Zanga, *Negersklave*

Der König von Samarkand
Gülnare, *seine Tochter*
Der alte Kaleb *(stumm)*
Karkhan
Der Mann vom Felsen
Ein altes Weib
Ein königlicher Kämmerer
Ein Hauptmann
Erster
Zweiter } Anführer
Eine Dienerin Gülnarens
Gefolge und Kämmerlinge des Königs
Frauen und Dienerinnen Gülnarens
Zwei Verwandte Karkhans
Zwei Knaben, Diener, Krieger
Volk *beiderlei Geschlechts*

ERSTER AUFZUG

Ländliche Gegend mit Felsen und Bäumen. Links im Vor-
grunde eine Hütte. Neben der Tür eine Bank. Sommer-
abend.
Hörnertöne erschallen aus der Ferne.

M i r z a *(kommt aus der Hütte).*
Horch! War das nicht Hörnerschall?
Ja, er ist's! Er kommt! Er naht!

Doch so spät erst! – Warte, Wilder,
Du sollst mir's fürwahr entgelten!
Unerbittlich will ich sein,   5
Schmollen will ich, zürnen, schelten,
Und nur spät – erst spät verzeihn.

Ja, verzeihn! Das ist es eben,
Darin liegt das Maß des Unglücks.
Oh, man sollte grollen können,   10
Grollen, so wie andre fehlen,
Lang und unabänderlich,
Daß Verzeihung Preis der Beßrung
Und nicht Lohn des Fehlers schiene.
Denn es ist fürwahr nicht billig,   15
Daß die Strafe der Beleid'gung
Nicht einmal so lange währe,
Ach, als der Beleid'gung Schmerz.
Könnt' ich trotzig sein, wie er,
Oh, ich weiß, er wäre milder.   20

Doch wo bleibt er? Dort herüber
Schien des Hornes Ton zu kommen.
(Zurücktretend und nach allen Seiten blickend.)
Dort vom Hügel steigt ein Mann
Mit des Weidwerks Raub beladen.
Ob er's ist? – Die Sonne blendet.   25
Scheidend an der Berge Saum,

Schüttet sie, in Glut versunken
Ihres Brandes letzte Funken
Durch die abendliche Flur
Auf des späten Wandrers Spur.   30

Jetzo wendet er das Antlitz!
Rustan!? – – Armes, oft getäuschtes Herz!
Wohl ein Jäger schreitet her,
Rasch beflügelnd seine Schritte,
In der lauten Doggen Mitte,   35
Wohl ein Jäger, doch nicht er.

Trage, wunder Busen, trage,
Bist des Tragens ja gewohnt! *(Setzt sich.)*

Abend ist's, die Schöpfung *feiert*,
Und die Vögel aus den Zweigen,   40
Wie beschwingte Silberglöckchen,
Läuten aus den *Feierabend*,
Schon bereit, ihr süß Gebot,
Ruhend, selber zu erfüllen.
Alles folgt dem leisen Rufe,   45
Alle Augen fallen zu;
Zu den Hürden zieht die Herde,
Und die Blume senkt in Ruh'
Schlummerschwer das Haupt zur Erde.

Ferneher vom düstern Osten   50
Steigt empor die stille Nacht;
Ausgelöscht des Tages Kerzen,
Breitet sie den dunkeln Vorhang
Um die Häupter ihrer Lieben
Und summt säuselnd sie in Schlaf.   55

Alles ruht, nur er allein
Streift noch durch den stillen Hain,
Um in Berges dunkeln Schlünden,
Was er hier vermißt zu finden.
Und mich martert hier die Sorge,   60
Und mich tötet hier die Angst.

Jener Jäger, Kaleb ist's,
Sieh, sein Weib eilt ihm entgegen
Mit dem Kleinen an der Brust.
Wie er eilt sie zu erreichen!   65
Und der Knabe streckt die Hände
Jauchzend nach dem Vater aus.

Ihr seid glücklich! – Ja, ihr seid's!
              (Sie versinkt in Nachdenken.)
              (Massud kommt aus der Hütte.)
M a s s u d. Mirza!
M i r z a.   Rustan!
M a s s u d.   Ich bin's, Mirza!
Mädchen, lässest du den Vater   70
In der Dämmrung so allein?
M i r z a. Ach, verzeiht, ich wollte sehen –
M a s s u d. Ob er komme?
M i r z a.   Ach, ja wohl.
M a s s u d. Nun, und –?
M i r z a.   Keine Spur.
M a s s u d.   'sist spät.
M i r z a. Nacht beinahe. Alle Jäger   75
Ringsum aus der ganzen Gegend
Sind zurück schon von den Bergen.
Glaubt mir, denn ich kenne alle,
Die in jenen Bergen jagen,
Muß ich sie nicht täglich zählen,   80
Wenn den letzten ich erwarte?
Alle Jäger sind zurück,
Er allein streift noch im Dunkeln.
M a s s u d. Ja, fürwahr, ein wilder Geist
Wohnt in seinem düstern Busen,   85
Herrscht in seinem ganzen Tun
Und läßt nimmerdar ihn ruhn.
Nur von Kämpfen und von Schlachten,
Nur von Kronen und Triumphen,
Von des Kriegs, der Herrschaft Zeichen   90
Hört man sein Gespräch ertönen;
Ja, des Nachts, entschlummert kaum,
Spricht von Kämpfen selbst sein Traum.

Während wir des Feldes Mühn
Und des Hauses Sorge teilen,   95
Sieht man ihn bei Morgens Glühn
Schon nach jenen Bergen eilen.
Dort, nur dort im düstern Wald
Ist des Rauhen Aufenthalt,
Du bist, alles ist vergessen,   100
Und es scheint ihm hohe Lust,
Mal die Wildheit seiner Brust
An des Waldes Wild zu messen.
Das ist ein unselig Treiben!
Ich beklage dich, mein Kind.   105

M i r z a. Scheltet drum ihn nicht, mein Vater!
War er doch nicht immer so.
Oh, ich weiß wohl eine Zeit,
Wo er sanft war, fromm und mild,
Wo er stundenlange saß   110
Auf dem Grund zu meinen Füßen,
Bald des Hauses Arbeit teilend,
Bald ein Märchen mir erzählend,
Bald – o glaubt mir, lieber Vater,
Er war damals sanft und gut.   115
Hat er seither sich verändert,
Ei, er kann sich wieder ändern
Und er wird's, gewiß, er wird's.

M a s s u d. Wähnst du mich zu überzeugen,
Und kannst es dich selber nicht?   120

M i r z a. Glaubt, mein Vater, dieser Sklave,
Zanga, er trägt alle Schuld.
Seit er trat in unsre Hütte,
Seit erklang sein Schmeichelwort,
Floh die Ruh' aus unsrer Mitte   125
Und aus Rustans Busen fort.
Rustan, wahr ist's, schon als Knabe
Horcht' er gerne großen Taten,
Übt' er gerne Ungewohntes,
Wollt' er gerne was er kann,   130
Wär' das schlimm? Er ist ein Mann.
Stets doch hielt er die Gedanken
In des Hauses frommen Schranken

Und gebot dem raschen Mut.
Zanga kam. Sein Hauch, verstohlen, 135
Blies die Asche von den Kohlen
Und entflammte hoch die Glut.

Oh, ich habe sie belauscht!
Oft, wenn Rustan mir versprochen,
Nicht zu gehen nach den Bergen, 140
Und er still und ruhig saß;
Da trat Zanga vor ihn hin,
Und von Schlachten hört' ich's tönen,
Und von Kämpfen und von Siegen.
Hoch empor und immer höher 145
Stieg die Glut in Rustans Wangen,
Jede seiner Fibern zuckte,
Und die Hände ballten sich;
Aus den tiefgezognen Brauen
Schossen Blitze wilden Feuers, 150
Und zuletzt –
                    da sprang er auf,
Langte von der Wand den Bogen,
Warf den Köcher um den Nacken,
Und hinaus – hinaus zum Walde!

M a s s u d. Armes Kind! und achtet nicht, 155
Hart und sorglos, der Verkehrte!
Deines Kummers, deiner Angst.

M i r z a. Angst? Warum denn Angst, mein Vater?
Oh, ich weiß, der starke Rustan
Kennt nicht Furcht und nicht Gefahr. 160
Dann ist Zanga ja mit ihm.

M a s s u d. *Doch* nur zwei.

M i r z a.   *Er* zählt für viele.

M a s s u d. In der Nacht –

M i r z a.   Er kennt den Pfad.

M a s s u d. Wie so leicht ein wildes Tier –

M i r z a. Oh, es *flieht* das Wild den Jäger! 165

M a s s u d. Oder gar –

M i r z a.   Was, Vater, was?
Sprecht es aus und tötet mich!

M a s s u d. Armes Kind, das ist dein Los,

Wenn dich, wie ich sonst wohl dachte,
Einst an ihn ein festres Band –   170
M i r z a. Vater, es wird kühl, wir wollen
In die Hütte doch zurück.
Eh' wir's denken, kommt auch er.
M a s s u d. Nun, so sei's denn, wie es ist!
Die dort oben mögen walten.   175
Was ihn heut zurückehält,
Denk ich wohl beinah zu wissen.
M i r z a. Wie? Ihr wißt? O sprecht!
M a s s u d.   Dein Derwisch,
Der besorgte fromme Mann,
Der dort haust in jenem Walde,   180
Sandte kaum nur schnelle Botschaft,
Mir zu melden, daß man sage,
Rustan habe Streit erhoben
Auf der Jagd mit einem Weidmann.
M i r z a. Streit? Mit wem?
M a s s u d.   Mit Osmin, heißt es,   185
Unsers Emirs ältstem Sohn,
Der am Hof zu Samarkand
In des Königs Kammer dienet,
Und, mit Urlaub bei dem Vater,
Sich den Jägern beigesellt.   190
Rustan schlug nach ihm und –
M i r z a.   Mehr noch?
M a s s u d. Und sie griffen zu den Waffen.
M i r z a. Waffen?
M a s s u d.   Doch man schied sie schnell,
Und der Streit ward ausgetragen.
M i r z a. Doch vielleicht –
M a s s u d.   Sei ruhig, Kind!   195
Osmin ist schon heimgekehrt
Und nichts weiter zu besorgen.
Aber Rustan ahnet wohl,
Daß mir Kunde seiner Raschheit,
Und er scheut, mir zu begegnen.   200
Kaum wird's vollends Nacht, so schleicht er,
Seines Oheims Blick vermeidend,
Leise wohl in sein Gemach.

Darum, Mirza, laß uns gehn;
Unsre Gegenwart, bedünkt mich, 205
Hielt ihn wohl so lange fern.
M i r z a. Und Ihr zürnt ihm?
M a s s u d.   Sollt' ich nicht?
Siehst du mich schon flehend an?
Oh, ich weiß wohl, jedes Wort,
Tadelnd, rauh zu ihm gesprochen, 210
Wie ein Pfeil aus schwachen Händen,
Prallt von seinem starren Busen
Und dringt in dein weiches Herz.
Komm nur, komm! Ich will nicht schelten.
          (Beide in die Hütte ab.)
(Pause. Dann schleicht Zanga, nach allen Seiten umherspä-
          hend, herein.)
Z a n g a. Kommt nur, Herr! die Luft ist rein! 215
          (Rustan tritt auf mit Bogen und Köcher.)
Z a n g a. Munter, Herr! was soll das heißen?
Warum düster und beklommen?
Was ist Arges denn geschehn?
Daß Ihr einem platten Jungen,
Der recht unverständig prahlte, 220
Euch zu höhnen sich erfrechte,
Etwas unsanft mitgespielt,
Das ist alles. Und was weiter?
Euer Oheim wird wohl schelten;
Sei es drum! Gönnt ihm die Lust. 225
R u s t a n. Glaubst du, daß ich seine Worte,
Seines Tadels Ausbruch scheue?
Nimmer brauch ich zu erröten,
Was ich tat, kann ich vertreten;
Könnt' ich's nicht, ich wär' nicht hier. 230
Nicht der Schmerz, den mir sein Zürnen,
Der, den es ihm selber kostet,
Macht mich seinen Anblick fliehn.
Könnt' er all doch seine Sorge,
Seine Angst um mich, mit einem, 235
Einem Feuergusse strömen
Auf dies unverwahrte Herz,
Und dann kalt und ruhig bleiben

Bei des Wilden Tun und Treiben,
Hier! er kühle seinen Schmerz.   240
Aber, daß ich sehen muß,
Wie der Nahverwandten Wünsche,
Gleich entzügelt wilden Pferden,
Nord- und südenwärts gespannt,
An dem Leichnam unsers Friedens,   245
Raschgespornt, zerfleischend reißen;
Daß ich sehe, wie wir beide,
Bürgern gleich aus fremden Zonen,
Bang uns gegenüberstehn,
Sprechen und uns nicht begreifen,   250
Einer mit dem andern zürnend,
Ob gleich Lieb' in beider Herzen,
Weil, was Brot in einer Sprache,
Gift heißt in des andern Zunge,
Und der Gruß der frommen Lippe   255
Fluch scheint in dem fremden Ohr:
Das ruft diesen Schmerz empor.
Z a n g a. Nun, so lernt denn seine Sprache,
Er wird Eure nimmer lernen!
Und wer weiß? An Lektionen   260
Läßt's der alte Herr nicht fehlen.
Bleibt im Land und nährt Euch redlich!
Auch die Ruhe hat ihr Schönes.
R u s t a n. Spotte nicht! Denk an Osmin!
Gleicher Lohn harrt gleicher Frechheit.   265
Ha, bei Gott! Es soll kein Prahler
Trotzig vor mich hin sich stellen
Und mich mit den Augen messen,
Den verschämten, keuschen Degen
Wiegend auf den glatten Schenkeln.   270
Er soll's nicht, wenn nicht sein Kopf
Härter ist als Osmins Schädel,
Tücht'ger ist als diese Faust.
Bin ich nichts, ich kann noch werden,
Rasch und hoch ist Heldenbrauch;   275
Was ein andrer kann auf Erden,
Ei, bei Gott! das kann ich auch.
Z a n g a. Herr, Ihr sprecht nach meinem Herzen.

R u s t a n. Wie so schal dünkt mich dies Leben,
   Wie so schal und jämmerlich!   280
   Stets das Heute nur des Gestern
   Und des Morgen flaches Bild.
   Freude, die mich nicht erfreuet,
   Leiden, das mich nicht betrübt,
   Und der Tag, der stets erneuet,   285
   Nichts doch als sich selber gibt.
   Oh, wie anders dacht' ich's mir
   In entschwundnen, schönern Tagen!

Z a n g a. 's ist auch anders, muß ich sagen.
   Nur Geduld! es wird schon kommen.   290
   Zeit tut alles, Zeit und Mut.
   Jener Fürst von Samarkand,
   Den Osmin als Herrn genannt,
   War, wie Ihr, des Dorfes Sohn,
   Jetzt von Macht und Glanz umgüldet;   295
   Ihr seid aus demselben Ton,
   Aus dem Glück die Männer bildet
   Für den Purpur, für den Thron.

R u s t a n. Oh, es mag wohl herrlich sein,
   So zu stehen in der Welt   300
   Voll erhellter, lichter Hügel,
   Voll umgrünter Lorbeerhaine,
   Schaurig schön, aus deren Zweigen,
   Wie Gesang von Wundervögeln,
   Alte Heldenlieder tönen,   305
   Und vor sich die weite Ebne,
   Lichtbestrahlt und reich geschmückt,
   Die zu winken scheint, zu rufen:
   Starker, nimm dich an der Schwachen!
   Kühner, wage! Wagen siegt!   310
   Was du nimmst, ist dir gegeben!
   Sich hinabzustürzen dann
   In das rege, wirre Leben,
   An die volle Brust es drücken,
   An sich und doch unter sich: 315
   Wie ein Gott, an leisen Fäden
   Trotzende Gewalten lenken,
   Rings zu sammeln alle Quellen,

Die, vergessen, einsam murmeln,
Und in stolzer Einigung,   320
Bald beglückend, bald zerstörend,
Brausend durch die Fluren wälzen.
Neidenswertes Glück der Größe!
Welle kommt und Welle geht,
Doch der Strom allein besteht.   325
Z a n g a. Recht! Der Strom allein besteht.
R u s t a n. Schon mein Vater war ein Krieger,
Meines Vaters Vater auch,
Und so fort durch alle Grade.
Ihr Blut pocht in diesen Adern,   330
Ihre Kraft stählt diese Faust,
Und ich soll hier müßig träumen,
Schauen, wie sich jedermann
Lorbeern pflückt vom Feld der Ehre,
Früchte bricht vom Lebensbaum,   335
Und mich selbst zur Ruh' verdammen?
Z a n g a. Ihr sollt nicht! beim Himmel, nicht!
Wenn Ihr wollt, ei, Herr, so handelt!
Ja, wenn die da drin nicht wären!
Dieser Oheim, diese Muhme   340
Hängen Euch wie schwere Fesseln –
R u s t a n. Laß uns von was anderm sprechen!
Von was anderm, Zanga.
Z a n g a.   Seht Ihr?
Da kommt Euer weiches Herz,
Und der Vorsatz ist zum Henker.   345
Oh, daß ich Euch draußen hätte,
Draußen aus dem dumpfen Tale,
Auf den Höhen, auf den Gipfeln,
In der unermeßnen Welt!
Herr, Ihr solltet anders sprechen!   350
Seht nur erst ein Schlachtgefild',
Hört nur erst Trompeten klingen,
Und es soll Euch Kraft durchdringen,
Wie sie diese Adern füllt.
Herr, ich war mal auch so wählig,   355
Als ich, freilich jung genug,
Meine ersten Waffen trug.

Ging im Kopf mir hin und her,
War das Herz mir zentnerschwer;
Als es hieß: dem Feind entgegen! 360
Schlug's da drin mit harten Schlägen,
Und die Nacht
Vor der Schlacht
Ward gar bange zugebracht.
Doch beim ersten Sonnenstrahl 365
Ward mir's klar mit einem Mal.
Ha! da standen beide Heere,
Zahllos, wie der Sand am Meere,
Still und stumm
Weit hinum, 370
Düster, wie das Nebelgrauen,
Das noch lag auf Feld und Auen.
Durch den Duftqualm sah man's blitzen
Von dem Strahl der Eisenspitzen,
Und als jetzt der Nebel wich, 375
Zeigte Roß und Reiter sich.
Da fühlt' ich mein Herz sich wandeln,
Jeder Zweifel war besiegt,
Klar ward's, daß im Tun und Handeln,
Nicht im Grübeln 's Leben liegt. 380
Und als nun erschallt das Zeichen,
Beide Heere sich erreichen,
Brust an Brust,
Götterlust!
Herüber, hinüber, 385
Jetzt Feinde, jetzt Brüder
Streckt der Mordstahl nieder.
Empfangen und geben,
Der Tod und das Leben
Im wechselnden Tausch, 390
Wild taumelnd im Rausch.
Die Lüfte erschüttert,
Die Erde zittert
Von Pferdegestampf,
Laut toset der Kampf. 395
Die Gegner, sie wanken,
Die Gegner, sie weichen,

Wir, mutig und jach
Den Fliehenden nach,
Über Freundes und Feindes Leichen.   400

    Jetzt auf weitem Feld
Der Würger hält,
Überschaut die gefallenen Ähren,
Doch kann er der Freude nicht wehren.
Sieg, rufet es, Sieg!   405
Herr, das heißt leben! Es lebe der Krieg!
R u s t a n. Oh, halt ein! Du tötest mich!
Z a n g a. Wenn so ein Gefangener,
  Ein Verkaufter spricht, ein Sklave,
  Was muß erst – doch still! Genug!   410
       (Er zieht sich zurück.)
     (Mirza kommt aus der Hütte.)
M i r z a. Rustan!
R u s t a n.   Ha, man kömmt!
M i r z a.   Du bist es!
  Konntest du so lange weilen?
  Oh, wir zitterten um dich.
R u s t a n. Ist es denn so ungewöhnlich?
M i r z a. Ungewöhnlich? Das wohl nicht,   415
  Aber schmerzlich drum nicht minder.
  Sag ich mir gleich jeden Morgen:
  Spät erst wird er wiederkehren,
  Hoff ich dich doch immer früh;
  Und der Wunsch und die Erwartung   420
  Sind gar reich an Möglichkeiten.
  Weil du ruhig bist und sorglos,
  Glaubst du denn, wir wären's auch?
  Immer fließen meine Tränen,
  Was auch die Erfahrung spricht;   425
  Für den Mut gibt's ein Gewöhnen,
  Aber für die Sorge nicht.
  Warum wendest du dich ab?
R u s t a n. Horch! Mich dünkt, dein Vater ruft.
M i r z a. Ich soll gehn? Oh, komm du mit!   430
  Du bist heiß, die Nachtluft kühl,
  Und der müde Fuß will Ruhe.

Rustan. Laß nur! Hier –
Mirza.   Nicht doch! Du sollst!
  In der Hütte ruht sich's besser
  Und das Abendessen wartet.   435
  Komm! Der Vater zürnt nicht mehr,
  Alles ist vergessen. – Komm!
       (Mit Rustan in die Hütte ab.)
Zanga. Deut' mir eins der Liebe Werke,
  Ob Verlust sie, ob Gewinn?
  Gibt dem Weibe Männerstärke   440
  Und dem Manne – Weibersinn!

  Sei's! Man muß nicht gleich verzweifeln!
       (Er folgt ihnen.)

     Das Innere der Hütte.
Im Mittelgrunde ein Tisch mit den Resten einer Abendmahl-
zeit und Licht, an dessen einem Ende Massud nachdenklich
    sitzt. Rechts im Hintergrunde ein Ruhebett.
  Mirza führt Rustan herein; bald nach ihnen Zanga.

Mirza. Hier ist Rustan, lieber Vater,
  Seht, er hatte sich verirrt.
  Wo? – Ei gleichviel! Er ist hier.   445
  Ja, die Wege dort im Walde
  Sind verworren und verschlungen;
  Bricht der Abend noch herein,
  Braucht es Glück, den Pfad zu finden.
  Nun, er fand ihn, Dank dem Himmel!   450
  Künftig eilt er wohl ein wenig,
  Sieht er sich die Sonne neigen.

  Setze dich!
(Da Rustan neben dem Alten niedersitzen will, sich zwi-
schen beide drängend.)
       Nicht hier! Nein dorthin!
  Ich muß bei dem Vater sitzen.
  Seht doch! 's ist mein Ehrenplatz.   455
    (Rustan setzt sich an das andere Ende des Tisches.)

M a s s u d *(sanft, doch ernst).*
 Rustan!
M i r z a *(rasch einfallend).* Vater, könnt Ihr's glauben?
 Racha, unsre Magd will wissen –
M a s s u d. Liebe Tochter!
M i r z a.   Wollt Ihr Wein?
M a s s u d. Gönne mir ein Wort mit ihm!
 Nur ein Tor verhehlt den Brand;   460
 Wir, mein Kind, wir wollen löschen.
M i r z a. Ihr verspracht mir –
M a s s u d.   Fürchte nichts!
 Doch es muß einmal zur Sprache.

  Sohn, seit lange schon bemerk ich,
 Daß du unsern Anblick meidest.   465
 Die Bewohner dieses Hauses
 Und ihr stilles Tun und Treiben
 Scheint dir nicht mehr zu gefallen.
 Auf den Bergen ist dein Lager,
 In den Wäldern deine Wohnung,   470
 Und das Heulen wilder Tiere,
 Sturmbewegter Bäume Dröhnen
 Scheint dir lieblicher zu tönen,
 Als der Nahverwandten Wort.
 Rauh und düster ist dein Wesen,   475
 Zank und Hader dein Geschäft.
 Heute nur, ich hab's vernommen,
 Daß du mit Osmin im Walde
 Streit erregt.
Z a n g a *(der sich um den Tisch beschäftigt hat, einfallend).*
     Erregt? Mit Gunst,
 Das kann ich Euch besser sagen.   480
M a s s u d. Du?
Z a n g a.   Ich hab's mit angesehn.
M a s s u d. Hüte dich!
Z a n g a.   Ei, wahr ist wahr!
 Und erlaubt Ihr, so erzähl ich's.
M i r z a. Hört ihn Vater, mir zulieb!
Z a n g a. Mittag war es, und die Jäger,   485
 Von der Arbeit Last zu ruhn,

Kamen alle, wie sie pflegen,
Auf dem Wiesengrund zusammen,
Um am Rand der klaren Quelle
Mit des Weidsacks kargem Vorrat   490
Und Gespräch sich zu erlaben.
Unter ihnen war Osmin,
Ein verwöhnter trotz'ger Junge,
Der von Öl und Salben duftet,
Wie 'nes Blumenhändlers Laden.   495
Der tat denn gar breit und vornehm,
Sprach von seinen Heldentaten,
Seinem Glücke bei den Weibern,
Wie des Königs Tochter selber
Bei der Tafel nach ihm schiele,   500
Und was denn des Zeugs noch mehr.

   Meinem Herrn dort stieg die Röte
Ungeduldig ins Gesicht,
Doch, ob kochend, dennoch schwieg er.
Aber als Osmin nun fortfuhr,   505
Daß der Fürst von Samarkand,
Hart bedrängt von Feindeshand,
Seine Tochter und ihr Erbe,
Seines weiten Reiches Krone
Gerne gönnte dem zum Lohne,   510
Der ihn rette aus der Not,
Und mein Herr, von Glut ergriffen,
Angeregt von dem Gedanken,
Solcher Tat und solchen Lohns,
Aufsprang und voll Eifer fragte: 515
Wo der Weg nach Samarkand?
Da schlug Osmin auf ein Lachen,
Und vor Rustan hin sich stellend,
Rief er aus: »Ei, welch ein Helfer!
Heil dir, Fürst von Samarkand!   520
Guter Freund, bleibt fein zu Hause,
Hinterm Pfluge zeigt die Kraft!«
Da –

Rustan *(aufspringend).*   Bei Gott! ich mag's nicht denken,
Daß er lebt, der das gesagt!

M a s s u d. Sohn, nur ruhig!
R u s t a n. 　　　　　　　　Ruhig? Ich? 　　　　525
　Und fürwahr, hat er nicht recht?
　Was hab ich getan noch, um mich
　Solchen Werks zu unterwinden?
　Er hat recht, hat heute recht,
　Morgen nicht mehr, leb ich noch. 　　　　530
　Oheim, gebt mir Urlaub!
M a s s u d. 　　　　　　　Wie?
R u s t a n. Seht, mich duldet's hier nicht länger.
　Diese Ruhe, diese Stille,
　Lastend drückt sie meine Brust.
　Ich muß fort, ich muß hinaus, 　　　　535
　Muß die Flammen, die hier toben,
　Strömen in den freien Äther,
　Drücken diesen heißen Busen
　An des Feindes heiße Brust,
　Daß er in gewalt'gem Anstoß 　　　　540
　Breche, oder sich entlade;
　Muß der aufgeregten Kraft
　Einen würd'gen Gegner suchen,
　Eh' sie gen sich selber kehrt
　Und den eignen Herrn verzehrt. 　　　　545
　Seht Ihr mich verwundert an?
　»Nur ein Tor verhehlt den Brand«,
　Spracht Ihr selber, laßt mich löschen.
　Gebt mir Urlaub und entlaßt mich.
M a s s u d. Wie, du wolltest –?
R u s t a n. 　　　　　　　　Was ich muß. 　　　　550
M a s s u d. Und denkst nicht –?
R u s t a n. 　　　　　　　　Es ist bedacht.
M a s s u d. So vergiltst du unsre Liebe?
R u s t a n. Nimmer sie hinfür mißbrauchen,
　Das ist alles, was ich kann.
M a s s u d. Rauh und dornicht ist der Pfad. 　　　　555
R u s t a n. Sei es! Führt er nur zum Ziele.
M a s s u d. Und das Ziel, es ist verderblich.
R u s t a n. Also sagt man. Ich will's kennen.
　Was man weiß, befriedigt nur.
M a s s u d. Diese, mich willst du verlassen? 　　　　560

R u s t a n. Lange nicht, kehr ich zurück
  In der Teuern liebe Mitte,
  Teile wieder eure Hütte,
  Oder ihr mit mir mein Glück.
M i r z a. Rustan!
R u s t a n.   Mirza! Ich verstehe.   565
  Doch wir sehen uns ja wieder,
  Doppelt glücklich, doppelt froh.
M a s s u d. Magst du ihre Tränen schauen
  Und dich kalt –
R u s t a n.   Ich kann nicht anders.
M a s s u d. Wisse denn nun auch das Letzte: 570
  Diese hier, sie liebt dich.
R u s t a n.   Mirza!
  Hier auch – doch es ist beschlossen!
  Niemals, oder deiner wert!
M i r z a. Rustan!
M a s s u d.   Halt! So meint' ich's nicht!
  Kann er deiner, Kind, entraten,   375
  Massuds Tochter bettelt nicht.
  Zieh denn hin, Verblendeter,
  Ziehe hin! und mögest du
  Nie der jetz'gen Stunde fluchen.
R u s t a n. Heute noch?
M a s s u d *(sich abwendend).*
                         Sobald du willst.   580
R u s t a n. Zanga, nach den Pferden!
Z a n g a.   Gern!
M a s s u d. Wozu diese hast'ge Eile?
  Halt! Es ist jetzt dunkle Nacht.
  Ungebahnet sind die Pfade
  Und gefahrvoll jeder Schritt.   585
  Davor wahr ich dich zum mindsten.
  Schlaf noch einmal hier im Hause,
  Denk noch einmal, was du willst,
  Trifft der Tag dich gleichen Sinnes,
  Nun, wohlan, so ziehe hin!   590
  Mirza, komm! wir lassen ihn.
M i r z a. Vater! nur dies einz'ge Wort.
  Rustan, jener alte Derwisch,

Der dort wohnt in nahen Bergen
Und den du, ich weiß, nicht liebst,   595
Ja, kaum einmal wolltest sehen,
Während er besorgt um dich:
Er versprach mir, heut zu kommen,
Und nur erst glaubt' ich zu hören
Seines Saitenspieles Ton,   600
Das er führt auf allen Wegen.
Oh, versprich mir, eh' du scheidest,
Ihn zu hören, ihn zu sprechen;
Erst, wenn fruchtlos, zieh mit Gott.
R u s t a n. Und wozu?
M i r z a.   Die letzte Bitte!   605
R u s t a n. Kommt er morgen früh genug,
    Mag er wie die andern sprechen.
M a s s u d. Nun zur Ruh'! Laß ihn sich selbst.
    Jedem Sprecher fehlt die Sprache,
    Fehlt dem Hörenden das Ohr.   610
    Gute Nacht denn! *(Er geht mit Mirza.)*
M i r z a.   Rustan!
R u s t a n.   Zanga!
    Morgen früh die Pferde!
Z a n g a.   Wohl!
            (Er folgt den beiden. Alle drei ab.)
R u s t a n. Sie sind fort! – Es pocht doch ängstlich!
    Sie ist gar zu lieb und gut. –
    Ob auch! – Fort! – Ich bin erhört,   615
    Und was lang als Wunsch geschlummert,
    Tritt nun wachend vor mich hin.
    Seid gegrüßt, ihr holden Bilder,
    Seid mit Jubel mir gegrüßt!
    Ich bin müd, die Stirne drückt,   620
    Mattigkeit beschleicht die Glieder.
    (Nach dem Lager blickend.)
    Nun, wohlan! Noch einmal ruhn
    In dem dumpfen Raum der Hütte,
    Kräfte sammeln künft'gen Taten,
    Dann befreit auf immerdar.   625
    *(Er sitzt auf dem Ruhebette, Harfenklänge erklingen von
    außen.)*

Horch! Was ist das? Harfentöne?
Wohl der alte Klimprer nah?
(In halb liegender Stellung, mit dem Oberleibe aufgerich-
tet. Er spricht die Worte des Gesanges nach, die sich jetzt
mit den Harfentönen verbinden.)

>»Schatten sind des Lebens Güter,
>Schatten seiner Freuden Schar,
>Schatten Worte, Wünsche, Taten;   630
>Die Gedanken nur sind wahr.

>Und die Liebe, die du fühlest,
>Und das Gute, das du tust,
>Und kein Wachen als im Schlafe,
>Wenn du einst im Grabe ruhst.«   635

Possen! Possen! Andre Bilder
Werden hier im Innern wach.
(Er sinkt zurück. Die Harfentöne währen fort.)
König! Zanga! Waffen! Waffen!

(Mehrstimmige leise Musik greift in die Harfentöne ein. Zu
des Bettes Häupten und Füßen tauchen zwei Knaben auf.
Der eine, buntgekleidet, mit verlöschter Fackel, der zweite
in braunem Gewande mit brennender. Über Rustans Bette
hin nähern sie einander die Fackeln. Die des Buntgekleideten
entzündet sich, der Dunkle verlöscht die seine gegen die
Erde.
Da öffnet sich die Wand des Hintergrundes, Wolken ver-
hüllen die Aussicht. Sie heben sich. Die Gegend, in der der
zweite Akt spielt, wird sichtbar, von Schleiern bedeckt. Auch
diese schwinden. Ein erster, ein zweiter. Die Gegend liegt
offen da. Neben dem im Vorgrunde stehenden Palmbaum
hebt sich in weiten Ringen eine große goldglänzende
Schlange, bis zu seinen untersten Blättern hinanstrebend
nach und nach empor. Rustan macht eine Bewegung im
Schlafe.)
(Der Vorhang fällt.)

ZWEITER AUFZUG

Waldgegend. Im Hintergrunde Felsen, die ein Bergstrom
trennt und eine Brücke verbindet. Rechts im Vorgrunde ein
vereinzelt stehender Fels, an dessen nach vorn gekehrter
Seite ein Springquell und daneben eine Moosbank. Gegen-
über links eine einzelne Palme.
Rustan und Zanga kommen.

R u s t a n. Freiheit! Ha, mit langen Zügen
    Schlürf ich deinen Äther ein.   640
    In des Morgens Purpurschein
    Seh ich deine Banner fliegen,
    Die auf Höhn, am Himmelszelt
    Weit umher du aufgestellt;
    Allen Lebenden ein Zeichen   645
    In der Schöpfung weiten Reichen.
    Freiheit! Atem der Natur,
    Zeiger an der Weltenuhr,
    Alles Großen Wieg' und Thron,
    Nimm ihn auf, den neuen Sohn;   650
    Laß mein Stammeln dir gefallen,
    Die du Mutter bist von allen!
Z a n g a. Herr, und jetzt genug geschwärmt.
    Nun laßt uns von Nöt'germ sprechen.
R u s t a n. Nötig? Nöt'germ? Oh, nicht denken,   655
    Laß mich fühlen jetzo noch!
    Nicht mehr in dem Qualm der Hütte,
    Eingeengt durch Wort und Sorge,
    Durch Gebote, durch Verbote;
    Frei, mein eigner Herr und König.   660
    Wie der Vogel aus dem Neste,
    Nun zum erstenmal versuchend
    Die noch ungeprüften Flügel.
    Schaudernd steht er ob dem Abgrund,
    Der ihn angähnt. Wagt er's? Soll er?   665
    Er versucht's, er schlägt die Schwingen –
    Und es trägt ihn, und es hebt ihn.

Weich schwimmt er in lauen Lüften,
Steigt empor, erhebt die Stimme,
Hört sich selbst mit eignen Ohren, 670
Und ist nun erst, nun geboren.
Also fühl ich mich im Raume;
Möcht auf alle Berge steigen,
Möcht aus allen Quellen trinken,
Laub und Bäume möcht ich grüßen, 675
Bin ein Mensch erst und ein Mann.

Z a n g a. Sprecht nur zu, 's hat keine Eile,
Ich erfrische mich derweile. *(Er setzt sich.)*

R u s t a n. Zanga, nein! Nicht ruhn, nicht rasten,
Bis begonnen unser Werk. 680

Z a n g a. Unser Werk? So wollt Ihr also
Handeln, prüfen, denken, trachten? *(Er steht auf.)*
Nun, da bin ich Euch zu Dienst.

R u s t a n. Fort, und auf nach Samarkand!
Oben nur von jenen Hügeln 685
Sah in seiner Türme Brand
Ich die Sonne strahlend spiegeln,
Wir sind dort, eh' sie entschwand.

Z a n g a. Nur so zu, und auf gut Glück?
Herr, um selig einst zu sterben, 690
Denkt bei allem mir ans Ende;
Doch wollt Ihr, ein Tücht'ger, leben,
So erwägt und prüft den Anfang,
Denn das Ende kommt von selber.
Tretet ein bei Unbekannten, 695
Herr, und strauchelt auf der Schwelle,
Bleibt Ihr Meister Ungeschickt,
Sprächt Ihr, wie die sieben Weisen;
Freunde, die's beim Becher wurden,
Lachen auf aus voller Kehle, 700
Sehn sie sich nach Jahren wieder;
Und die Braut, gefreit in Tränen,
Folgt mit Seufzern Euch durchs Leben.
Unsre Neigungen, Gedanken,
Scheinen gleich sie ohne Schranken, 705
Gehn doch, wie die Rinderherde,
Eines in des andern Tritt.

Drum, bei allem, was Ihr macht,
Sei der Anfang reif bedacht.

Ihr geht nun nach Samarkand;   710
Da ist denn vor allem nötig,
Daß Ihr gleich als der erscheinet,
Der Ihr später denkt zu werden.
Euern Vater, lobesam,
Adeln wir nur gleich im Grabe,   715
Machen ihn zum Khan, zum Emir
Aus – Grusinien, – aus dem Monde.
So was hilft beim ersten Eintritt,
Und erreicht Ihr Eure Wünsche,
Deckt das andre der Erfolg.   720
R u s t a n. Gut!
Z a n g a.   Ei, gut? Nu, das geht besser,
Als ich glaubte, als ich hoffte.
Euer Oheim, seine Hütte –
R u s t a n. Arme Mirza!
Z a n g a.   Ja, weil arm,
Hindert sie ein reiches Wollen.   725
Ahmt mir nur nicht jene nach,
Die das nahe Gut verschmähen,
Aber unerhört, getrennt, –
Lichterloh, wie Wolle brennt, –
Heiß in Liebesglut vergehen.   730
Laßt das jetzt, und seid ein Mann!

Jener Fürst aus Samarkand
Ist gedrängt von seinem Feinde,
Von dem mächtgen Khan aus Tiflis,
Der um seine Tochter freite: 735
Ein verwöhntes, einz'ges Kind,
Das gar stolz und hochgesinnt,
Selbst den Gatten wählen möchte.
Ein geziertes, äff'ges Wesen,
Tat so was in Dichtern lesen.   740
Ich war erst in wirren Zweifeln,
Ob dem Stärkern, ob dem Schwachen
Zu vertrauen unsre Sachen;

Doch der Starke g'nügt sich selbst,
Und das Unglück macht erkenntlich. 745
Darum geht nach Samarkand,
Suchet Dienst in seinem Heere,
Und wenn an Entscheidungstagen
Ich Euch sage: losgeschlagen!
Stürzt dann in den Feind mit Macht, 750
Tief ins Herz der wilden Schlacht;
Augen zu, und links und rechts
Kreuzt die Blitze des Gefechts.
Fallt Ihr, war's Euch so bestimmt;
Siegt Ihr, sprechen wir vom Lohne. 755
Mancher fand so eine Krone.

R u s t a n. Also sei es, und so komm!

Z a n g a. Herr, nur noch ein kleines Weilchen!
Auch der Körper will sein Recht.
Hier in meines Ränzels Weite 760
Führ ich Kost für mäß'ge Leute,
Erst getafelt, eins gezecht,
Dann hervor die besten Kleider,
Euch als Junker angetan!
So was hilft und fördert leider! 765
Drauf als wackrer Edelmann
Hin zur Stadt, dem Glücke nach;
Komme dann, was kommen mag!

E i n e S t i m m e *(hinter der Bühne)*.
Hilfe! Hilfe!

Z a n g a.   Horch, welch Rufen?

S t i m m e. Hilfe! Hilfe!

Z a n g a.   Näher kommt's. 770
Das beginnt mit Weh und Ach.
Abenteuer, seid ihr wach?

*(Ein reichgekleideter Mann erscheint im Hintergrunde auf
der Brücke. Er wird von einer nur je und dann auf Augenblicke sichtbaren Schlange verfolgt.)*

K ö n i g. Keine Rettung! Hilft denn niemand?

*(Er flieht über die Brücke und verschwindet auf der linken
Seite des Hintergrundes.)*

Z a n g a. Herr, den Speer nun angefaßt!
Rasch zum Wurf mit kluger Hast. 775

D e r K ö n i g *(tritt fliehend vom Hintergrunde her links*
  auf. Er eilt nach vorn, während Rustan rechts, Zanga
  links im Mittelgrunde sich gestellt haben).
  Götter! Götter! Kein Erbarmen?
      (Er sinkt besinnungslos am Felsensitze nieder.)
Z a n g a. Werft und trefft!
R u s t a n *(wirft den Speer nach dem noch nicht sichtbar*
  gewordenen Untier).
Z a n g a.   Verfehlt! Nun, Herr,
  Braucht die Beine, nehmt Euch Raum,
  Ich erklettr' indes den Baum.
(Im Begriffe, die auf der linken Seite stehende Palme zu
                    erklettern.)
(Während die Schlange links im Hintergrunde zum Teil
sichtbar wird und Rustan nach dem Vorgrunde rechts flieht,
erscheint auf dem daselbst vorspringenden Felsen ein Mann
in einen braunen Mantel gehüllt mit gehobenem Wurfspieß.)
D e r M a n n a u f d e m F e l s e n.
  Schlechte Schützen!
  (Er wirft und heftet, durchbohrend, die Schlange an den
  Boden.)   Topp!
  (Herablachend.)   Ha, ha!   780
  Schlechte Schützen! lernt erst treffen!
              (Verschwindet von der Höhe.)
Z a n g a *(vom Baum herabsteigend).*
  Was war das? – He, liegt die Schlange?
R u s t a n. Nicht durch mich.
Z a n g a.   Nu, desto schlimmer!
  Und doch gut, daß sie nur liegt.
  (Zu dem Hingesunkenen tretend.)
  Herr, das ist ein reicher Mann!   785
  Wohl ein Fürst, vielleicht ein König.
  Zieltet besser Ihr ein wenig,
  Zahlten Ehren Euch und Gold.
R u s t a n. Wirst du, Glück, mir nimmer hold?
Z a n g a. Seht die Perlen, das Geschmeide! –   790
  Herr, und seid Ihr sicher auch,
  Daß nicht Ihr, daß jener andre
  Hingestreckt das grimme Tier?
  Eure Lanze traf.

Rustan.   Nicht meine.
Zanga. Und wo ist er, dieser andre?   795
   Warum steigt er nicht hernieder,
   Pflückt die Früchte seiner Tat?
   (Gegen den Felsen emporrufend.)
   Mann vom Felsen, Mann vom Berge,
   Komm herunter, sprich mit uns!

   Seht, er kommt nicht, war wohl nie.   800
   Wo auch sollt' er sein und weilen?
   Ringsherum auf viele Meilen
   Kein Lebendiger als wir.
   (Bei dem am Boden Liegenden.)
   Hu, am Turban, seht, die Krone!
   Ich verwette Hals und Hand,   805
   's ist der Fürst von Samarkand.

   Täuschung, Augentrug das Ganze,
   Herr, ich sah es, Eure Lanze
   Streckte jenes Tier in Sand.
Rustan. Der war's, der am Felsen stand.   810
Zanga. Nun, zum Henker! Noch einmal:
   Mann vom Berge, komm herunter!
   Zeige dich zu dieser Frist;
   Sonst negier ich frisch und munter,
   Leugne, daß du warst und bist.   815
   Seht, er kommt nicht, seht, er war nie.
   Schaut umher doch in der Runde,
   Niemand kann sich da verbergen;
   Rings der Felsen abgeschnitten,
   Auf dem Felsen selber niemand.   820
Rustan. Doch ich sah ihn.
Zanga.   Saht und seht!
   Herr, Ihr hattet Furcht, gesteht!
   Und der Schrecken, wild und wilder,
   Zeigt gar sonderbare Bilder.
   Hier ein Mann im Fürstenschmuck,   825
   Leichenblaß in Sand gebettet,
   Und Ihr seid's, der ihn gerettet.
   Nehmt die Gabe des Geschickes,

Und glaubt nur, der heut'ge Tag
Ist der Anfang unsers Glückes.   830
(Hörnerklang in der Ferne.)
Hört Ihr fernen Hörnerklang?
Zweifelt nur nicht ewig lang!
Ihr erlegtet jenes Tier;
Schoß ein andrer, schoßt auch Ihr.
Wir sind zwei hier gegen einen;   835
Wag er nur, es zu verneinen!
D e r G e r e t t e t e *(sich emporrichtend).*
Hörnerschall! – Ha, und wo bin ich?
Z a n g a *(zu Rustan).* Ha, nun gilt's!
(Zum Fremden.)   Herr, unter Freunden.
Edler Fürst! vielleicht wohl mehr noch?
Hochgeehrt nach Rang und Stande.   840
D e r F r e m d e *(der aufgestanden ist).*
Ich bin König dieser Lande.
Z a n g a *(kniend).* Herr, dein Knecht –
(Rustan läßt sich in einiger Entfernung aufs Knie nieder.)
K ö n i g.   Und jenes Tier?
Blutig, tot, liegt's dort am Boden.
Meine Retter!
(Zu Zanga.)   Du?
(Auf Rustan zugehend.)   Nein, du!
Z a n g a. Herr, Ihr habt es gut erraten!   845
(Auf Rustan zeigend.)
Jener war's. Ein tücht'ger Wurf,
Stracks hinein durch Herz und Lungen,
Und es hatte ausgerungen.
R u s t a n. Herr, verzeiht –
Z a n g a.   's ist wohl verziehn!
R u s t a n. Wenn noch Zweifel –
Z a n g a.   Ob wir leben?   850
Ob dort jenes tot genug?
(Leise.)
Nun, zum Henker, seid doch klug!
(Wiederholter Hörnerschall.)
K ö n i g. Ha, sie rufen, meine Lieben,
Suchend, wo ihr Hort geblieben.
Hier, Getreue! hier der Ort!   855

(Er geht in die Mitte der Bühne zurück, wo er, antwortend,
in ein an seiner Hüfte hängendes Jagdhorn stößt.)

R u s t a n. Zanga, komm, und laß uns fort!
Z a n g a. Nach dem allen, Herr, und fliehn?
Jetzt, da unsre Bohnen blühn?
R u s t a n. Nimmer sollst du mich berücken,
Mich mit fremder Tat zu schmücken.   860
Und doch könnt' ich's auch nicht sehn,
Erst gepriesen, erst gehuldigt,
Zager Feigheit dann beschuldigt,
Einem andern nachzustehn.

(Nach wiederholtem Hörnerruf kommt nun das Gefolge des
Fürsten. Gülnare, seine Tochter, an der Spitze.)

G ü l n a r e. Vater! Vater!
K ö n i g.   Oh, mein Kind!   865
            (Sie stürzen sich in die Arme.)
Z a n g a *(zu Rustan)*.
Schaut nur, schaut! Seht halb Euch blind!
Gold und Spangen, Perlen, Kleider,
Seht der Hoheit Vollgewalt.
R u s t a n. Zanga, jene Lichtgestalt,
Sich um seinen Nacken schmiegend,   870
Weich in Vaterarmen liegend.
Wie sie atmet, wie sie glüht,
Jede Fiber wogt und blüht.
Nun weist her auf mich sein Blick,
Danket mir der Rettung Glück.   875
Zanga, nun nicht mehr zurück!
Wär's am Rand mit meinen Tagen;
Ich hab jenes Tier erschlagen.
K ö n i g. Ja, mein Kind, ein Raub des Todes,
Wenn nicht dieser Jüngling war;   880
Sieh, so nahe die Gefahr. *(Auf das erlegte Tier weisend.)*
G ü l n a r e *(mit der Hand die Augen bedeckend)*.
Ah!
K ö n i g. Entfernt dies Schreckbild!
G ü l n a r e.   Nein!
Stark, entschlossen will ich sein.
(Nach vorn kommend.)
Glaub nur nicht, mein edler Fremdling,

Daß, ein schwach erbärmlich Weib,   885
Hinter dir so fern ich bleib!
Oft hat man mich wohl gesehen,
Männlich die Gefahr bestehen,
Eine Gleiche stand ich ihr.
Doch das Widrige, den Grauen   890
So verwirklicht anzuschauen,
Nimmt entfremdend mich von mir.
Und doch, schafft's nicht fort, es bleibe;
Selbst bezwingen will ich mich.

　Nun zu dir, mein edler Retter,   895
Der mit seines Armes Walten
Alles, alles mir erhalten,
Was der Schwachen übrigblieb.
Rings von Feindesmacht umgeben,
Von verschmähter Liebe Trutz,   900
War mir dieses Greises Leben
Einz'ge Stütze, all mein Schutz.
Und der Drache bleckt' die Zähne,
Und es war um ihn geschehn;
Da – o lohn es diese Träne! –   905
Hebt sich eines Armes Sehne,
Und das Untier muß vergehn.
Vater, schau, so sehen Helden!
Vater, schau, so blickt ein Mann!
Was uns alte Lieder melden,   910
Schau es hier verwirklicht an!

R u s t a n *(leise)*. Kohlen, Zanga, glühnde Kohlen!
Z a n g a *(ebenso)*. Laßt die Furcht den Henker holen!
G ü l n a r e. Doch du sprichst nicht? Doch du schweigest?
R u s t a n *(auf die Knie stürzend)*.
Herrin, oh, ich bin vernichtet!   915
K ö n i g *(entschuldigend zu Gülnare)*.
Wohl das Neue unsers Anblicks –
G ü l n a r e. Laß ihn, Vater! Es erquickt mich,
Einen Mann beschämt zu sehn!
Oh, ich sah sie brüstend gehn,
Mit gedunsnen Worten prahlend,   920
Mit Versprechen Taten zahlend,

Doch kam der Erfüllung Zeit,
Wie war Held und Tat so weit!
Dieser kommt uns, als von oben,
In der Stunde der Gefahr,   925
Tut, was seiner würdig war,
Und verstummt, wenn wir ihn loben.
Vater, sag es selbst! fürwahr,
Stellt er nicht die Zeit dir dar,
Nicht die Zeit, die einst gewesen,   930
Und von der wir staunend lesen,
Wo noch Helden höhern Stammes,
Wo ein Rustan weitbekannt
In der Parsen Fabelland —
Z a n g a. Rustan ist auch er genannt.   935
G ü l n a r e. Rustan! Hörst du, Vater? Rustan!
Oh, die Zeiten sind noch immer,
Wo, wenn Menschenkräfte enden,
Götter ihre Hilfe senden.
Er kommt uns von ihrer Hand.   940
(Zu ihrem Vater.) Und so wird gefaßt dich finden,
Was soeben Boten künden:
Jener blut'ge Khan von Tiflis,
Mein Bewerber und mein Feind,
Hat in mächt'gen Heeres Mitten   945
Unsre Grenzen überschritten,
Hundert Völker stolz vereint,
Weil er hilflos uns vermeint.
(Auf Rustan zeigend.) Hier die Hilfe! Hier der Hort!
Stell ihn an der Treuen Spitze,   950
Laß ihn tragen deine Blitze,
Mut sein Atem, Tat sein Wort;
Und die Deinen, neu ermutet,
Sehn mit Neid, wenn einer blutet,
Und sein Beispiel reißt sie fort.   955
(Zu Rustan.) Sei mein Schützer, sei mein Retter,
Banne diese dunkeln Wetter,
(Nach und nach langsamer sprechend.)
Und der glänzend neue Tag
Bringt dir dar, was er vermag.
K ö n i g *(halblaut).* Sprichst du doch, als hättest du   960

Sie vernommen, die Gelübde,
Die ich tat in der Gefahr.
Dem Erretter, käme Rettung,
Schwur ich, nichts, ich nichts zu weigern,
Und wenn es das Höchste war.   965
Du errötest, du verstehst mich.
G ü l n a r e. Vater, komm und laß uns gehn.
K ö n i g. Nun so karg, und erst so warm!
Warst du hier an meiner Stelle,
Dünkte jeder Lohn dir arm.   970
G ü l n a r e *(nach rückwärts gewendet, wie ablenkend)*.
Und wo ist, wo ist die Stelle,
Die so vieles mir gedroht?
K ö n i g. Dort kam ich, und floh den Tod,
Jene Schlange mein Gefolg',
Keine Wehr als meinen Dolch.   975
Z a n g a. Seht, hier liegt er noch am Boden,
Reich besetzt mit edlen Steinen.
*(Er hebt den Dolch auf und gibt ihn seinem Herrn, der ihn
              dem Könige überreicht.)*
K ö n i g *(mit ablehnender Gebärde)*.
Zähl, was mein ist, zu dem Deinen.
Zahlt' ich mit so armen Steinen
So beglückenden Erfolg?   980
Dort kam ich, und dort die Schlange;
Dieser Mann – *(Auf Rustan zeigend.)*
Z a n g a *(am Boden den Platz bezeichnend)*.
                    Hier stand er, hier.
K ö n i g. Nein, du irrst, er stand dort oben,
Eingehüllt in braunen Mantel.
R u s t a n. Zanga! Zanga!
Z a n g a.   Heißer Tag!   985
K ö n i g *(auf Zanga)*. Erst warfst du, allein du fehltest,
Dann schoß er, die Schlange lag.
In der Sinnenkraft Vergehen
Hab wie träumend ich's gesehen.
Du standst hier, und er stand dort,   990
Und war bleich und schien viel kleiner,
Wohl gebückt zum Wurf sich neigend.
Wo auch blieb der braune Mantel?

Z a n g a. Irgend dort wohl in den Sträuchen.
R u s t a n *(leise)*. Zanga, Zanga!
Z a n g a.   Mut, nur Mut!   995
K ö n i g. Nun genug, und damit gut!
   Dort auf jener Klippe Zinnen
   Soll ein Tempelbau beginnen
   Dem, der waltend niederblickt,
   In der Not den Retter schickt.   1000
   Tochter, komm!
G ü l n a r e *(zu Rustan).*
            Du folg uns bald!
(Gehend und vor der getöteten Schlange zurück-
schaudernd.)
   Oh, des Anblicks Nachtgewalt
   Übt von neuem seine Rechte.
   Oh, verzeih es dem Geschlechte,
   Das der Seele Kraft bezwingt,   1005
   Kindisch solche Schauer bringt.
K ö n i g. Reich den Arm ihr, gib die Rechte.
G ü l n a r e. Vor dem Toten schütze mich,
   Lebt' es noch, ich zagte nicht.
   (Sie stützt sich auf Rustans Arm. Alle bis auf Zanga ab.)
Z a n g a *(ihnen nachschauend).*
   Das geht gut, bei meiner Treu!   1010
   Das Prinzeßchen hat gefangen.
   Tat zwar noch ein bißchen scheu,
   Kämpft noch Stolz mit dem Verlangen.
   Wie sie fest an ihm sich hält.
   Nun ein Graben – Hupp! gesprungen!   1015
   Ha, sie gleitet, strauchelt – fällt?
   Nein, er hat sie rasch umschlungen.
   Nichts so köstlich in der Welt,
   Als wenn eins das andre hält.
R u s t a n *(zurückkommend).*
   Zanga, Zanga! Ich bin selig!   1020
Z a n g a. Ei, es geht? nicht wahr? es geht!
R u s t a n. Und nun komm! Dort deinen Bündel,
   Wirf ihn in den nächsten Fluß.
   Nichts laß unsern Stand verraten,
   Wir sind Kinder unsrer Taten,   1025

Und nach aufwärts strebt der Fuß.
Komm nur, komm!
Z a n g a.   Doch früher, Herr,
Laßt die Gegend uns durchspüren,
Ob nicht jener Mann vom Felsen –
R u s t a n. Zanga, ich hab's überdacht;   1030
Jener Mann war kein Lebend'ger!
Bote einer höhern Macht,
Kam er in des Schreckens Nöten,
Um zu treffen, um zu töten,
Und entschwand, da er's vollbracht.   1035
Z a n g a. Nun, der Dank wär' abgemacht!
R u s t a n. Laß ihn Mensch auch sein, wie wir,
Kommen, und sich stellen mir;
Will mit Gold ihn überhäufen,
Fülle auf ihn niederträufen,   1040
Groß ihn machen, groß und reich,
Wenn auch nicht dem Geber gleich,
Stellen auf des Glückes Zinne,
Und wer wirft mir Unrecht vor?
Zanga, denn, was ich gewinne,   1045
Ist nicht das, was er verlor.
Laß ihn tun sie, jene Tat,
Bittend dann nach Lohn sich wenden,
Man gibt Gold mit spröden Händen,
Und er geht, wie er genaht.   1050
Doch bei mir, mit mir war's anders:
Unerklärt, ein dunkles Etwas,
Zog des Vaters, zog der Tochter –
Oh, des Weibs voll hehrem Sinn! –
Beider Blicke nach mir hin.   1055
Gleich gilt nicht von gleichem Scheine,
Und ich nehme nur das Meine.
Komm und fort, dem Glücke nach!
Heut ums Jahr ist auch ein Tag.
Z a n g a. Herr, ach Herr!
R u s t a n.   Was ist?
Z a n g a.   O schaut!   1060
(*Der Mann, dessen Wurf die Schlange getötet, ist hinter dem
Felsen hervor und in den Vorgrund rechts getreten. Er hat*

den ihn umhüllenden braunen Mantel auf die Moosbank ge-
legt, und steht nun in kurzem schwarzem Leibrocke, nackten
Armen und Beinen, mit schwarzem Bart und Haar, das Ant-
litz leichenblaß, da.)

R u s t a n. Ha! wie mir's im tiefsten graut!

Z a n g a. 's ist derselbe, dessen Speer
  Jenes Tier, vom Felsen her –

R u s t a n. Unheil! nie dein Köcher leer?

D e r M a n n v o m F e l s e n *(ist einige Zeit, unbeweglich*
  vor sich hinschauend, auf der Moosbank gesessen, jetzt
  neigt er sich zur Quelle und trinkt).

Z a n g a. Herr, er lebt! ist leibhaft, trinkt!   1065

R u s t a n. Meines Traums Gebäude sinkt.
  Zanga!

Z a n g a. Herr?

R u s t a n *(die Hand am Dolche).*
                Ist's nicht Osmin?
  Der Verweichlichte, Verwöhnte,
  Der mich jüngst beim Jagen höhnte?

Z a n g a. Seht doch nur den Bart, das Haar.   1070

R u s t a n. Du hast recht, und es ist wahr.
  Aber erst nur glich er ihm.
  Jeder Blick, mit neuer Lüge,
  Zeigt mir anders seine Züge.
  Was je greulich und verhaßt,   1075
  All in sich sein Anschaun faßt.

D e r M a n n *(richtet sich empor, legt den zusammenge-*
  falteten Mantel über den Arm, und macht sich gefaßt,
  quer nach dem Hintergrunde zu, fortzugehen).

Z a n g a. Schaut, er geht.

R u s t a n.   Nicht so! Und halt!
  Steht mir Rede! Wohin geht Ihr?

D e r M a n n v o m F e l s e n *(mit klangloser Stimme).*
  Hin nach Hofe, vor den Thron.

R u s t a n. Was dort suchend?

D e r M a n n v o m F e l s e n. Meinen Lohn.   1080

R u s t a n. Lohn? Wofür?

D e r M a n n v o m F e l s e n *(auf das erlegte Tier*
  zeigend).   Für meine Tat.

R u s t a n. Deine? – Meine! – Unsre Tat!

Der Mann vom Felsen. Arme Schützen! Ha, ha, ha!
Lernt erst treffen! Arme Schützen!
(*Zum Fortgehen gewendet.*)
Rustan. Halt, noch einmal! Er, der König,   1085
Dankbar dir für dein Bemühn,
(*Den Dolch des Königs aus dem Gürtel ziehend.*)
Sendet dir dies edle Kleinod,
Diesen reich besetzten Dolch,
Wo des Demants klares Scheinen –
Der Mann vom Felsen.
Zahlt Ihr mit so armen Steinen   1090
So beglückenden Erfolg?
Rustan. Nun, der Dolch hat eine Spitze,
Sie auch zahlt.
Der Mann vom Felsen.   Ei ja! Ja doch!
Rustan. Scheusal! Teufel! Greulich Untier!
Zieh nicht deine grimmen Fratzen,   1095
Denn der Dolch in meinen Händen
Zuckt und mahnt mich, rasch zu enden.
Zanga!
Zanga.   Herr?
Rustan.   Sieh hin! Nur hin!
Gleicht er wieder nicht Osmin?
Wenn er grinset, wenn er lacht.   1100
Zanga. Fassung, Herr! Und kühl bedacht!
Rustan. Nun, es sei! Ich will mich fassen.
Mensch, was willst du? was begehrst du?
Geizest du nach Reichtum, Schätzen?
Will dich in ein Goldmeer setzen,   1105
Gießen aus ob deinem Haupt,
Was die Welt das Höchste glaubt.
All dein Wünschen, dein Verlangen,
Eh's zu keimen angefangen,
Soll's verwirklicht vor dir stehn,   1110
Sollst du's reif in Garben sehn.
Der Mann vom Felsen.
Langes Rinnen trübt die Welle;
Ich trink gerne aus der Quelle.
Rustan (*vor ihm niederstürzend*).
Sieh mich denn zu deinen Füßen,

Sieh ein flehendes Geschöpf.   1115
Heut zu allen künft'gen Tagen
Hat des Glückes Stund' geschlagen;
Geh und schreite über mich,
Tritt ein Dasein unter dich!

Der Mann vom Felsen.

Willst mit andrer Taten prahlen,   1120
Willst mit fremdem Golde zahlen?
Glück und Unrecht? Luft'ger Wahn!
Rühm dich des, was *du* getan!

(Er geht nach dem Hintergrunde, indem er den Mantel
wieder um die Schultern wirft.)

Rustan *(nach vorn kommend).*

Er hat recht, und ich will fort.
Zanga, komm! Wir kehren heim.   1125
In der Nahverwandten Mitte
Sei das Glück der ersten Schritte,
Sei die Schmach – Und dennoch! Nein!
Nein, es darf, es soll nicht sein!

Der Unbekannte *(ist den Steig, der zur Brücke*
führt, hinaufgeschritten).

Rustan *(folgt ihm).*

Unmensch! halt! Nicht von der Stelle!   1130
Diese Brücke wölbet sich
Als des Glücks, der Hoheit Schwelle,
Sei es dir, sei es für mich.
Unmensch, halt!

(Er hat den Mantel des vor ihm Hinschreitenden angefaßt.)

Der Mann.   's ist nur mein Kleid.
Rustan. Nun, der Herr ist auch nicht weit.   1135
Halt! Ich, oder du! *(Er faßt ihn an.)*
Der Mann.   Nicht ich!
          (Sie ringen auf der Brücke.)
Rustan. Sein Berühren ist Entmannen.
Zanga, Zanga, rette mich!

(Der Fremde drängt Rustan bis hart an den Rand der
Brücke, im Begriff, ihn hinabzustürzen.)

Rustan. Ich erliege!
Zanga.   Braucht den Dolch!
Braucht den Dolch! Ihr seid bewaffnet.   1140

Der Fremde. Ganz nun mein!
Rustan. Noch nicht! Noch nicht!
*(Er hat den Dolch gezogen und stößt ihn nun dem Fremden
in die Brust.)*
Der Fremde *(auf der Brücke niedersinkend).*
Blutig! Blutig! Schwarzer Tag!
Rustan *(von der Höhe herabkommend).*
Zanga! Zanga! Lebt er? Bin ich?
Zanga. Herr, Ihr seid! Und seht, er blutet.
Rustan. Oh, daß ich's getan! Entsetzen!   1145
Der Fremde *(halb emporgerichtet).*
Kinderjahre! Kinderjahre!
Folgt der Unschuld Leichenbahre! *(Zurücksinkend.)*
Rustan! Rustan! Mirza, Rustan!
Rustan. Zanga, schnell! Sieh, ob noch Rettung,
Ob noch Hilfe möglich. Eile!   1150
Der Fremde *(der sich im Todeskampfe auf der Brücke
gewälzt, stürzt jetzt in die Flut).*
Zanga. Herr, zu spät! Ihn hat die Flut.
*(Zu Rustan, der, die Hände vors Gesicht geschlagen, da-
steht.)* Schlimm genug, und dennoch gut.
Wenn nicht er, wart Ihr verloren.
Rustan. Oh, und wär' ich nie geboren!
(Hörnerschall.)
Zanga. Herr, nur Fassung! Fassung! Mut!   1155
Fall der Notwehr. – Hört, man ruft uns.
Seht, man kommt. Nun ausgehalten.
Ein Kämmerer *(kommt von der linken Seite).*
Herr, des Königs hohe Gnaden
Lassen Euch zur Heimkehr laden,
Und zum Heereszug demnächst.   1160
Dort sie selbst.
*(Der König und Gülnare erscheinen im Hintergrunde auf
der Anhöhe, rechts der Brücke.)*
König. Nun, Rustan, folgt ihr?
Rustan. Hoher Herr, ich bin bereit. *(Zu Zanga.)*
Nun gilt's fallen, oder siegen!
Ausgedauert und – geschwiegen!
*(Indem er sich zum Gehen wendet und die Hörner von
neuem ertönen, fällt der Vorhang.)*

DRITTER AUFZUG

*Offener Platz in Samarkand. Die ersten Kulissen des Vor-
grundes bilden eine zeltartige Estrade, deren hintere Vorhänge offen sind. Rechts ist ein Sofa von Kissen angebracht,
nach oben mit einem Baldachin, nach rückwärts mit einer
herabhängenden Draperie geziert. Daneben ein Tischchen.
Gegenüber auf der linken Seite ein größerer Tisch, dunkel-
rot behangen.*
*Der Platz von außen ist mit Volk beiderlei Geschlechts be-
setzt. Jubelruf, kriegerische Musik, Truppenaufzüge.*

V o l k. Heil dem Sieger! – Heil dem König!   1165
   Rustan! Rustan! – Hoch Gülnare!
*(Der König kommt, zu beiden Seiten Rustan und Gülnare
an der Hand führend. Reichgekleidete Große hinter ihm. Sie
gehen in dem Raume außer dem Zelte quer über die Bühne
und auf der linken Seite ab.)*
Z a n g a *(durch das Volk kommend, zu denen, die am Ein-
gange des Zeltes stehen).*
   Platz da! Platz! Ich bin vom Hause!
   (Er kommt nach vorn.)
   Nun, bei Gott! Das geht vortrefflich!
   Unser Rustan wirkte Wunder!
   Tritt hervor aus jenem Wald,   1170
   Und der Ruf der Tat durchschallt
   Rings das Land nach allen Seiten.
   Nieder von den Bergen schreiten
   Hirten, jetzt zum erstenmal,
   Völker ohne Maß und Zahl,   1175
   Die sich sammeln, die sich scharen
   Um den Retter in Gefahren.
   Und der Feind, er steht verblüfft;
   Ihm, der kam zu leichtem Krieg,
   Dünkt der Rückzug jetzt schon Sieg.   1180
   Rasch wir nach, und weit und weiter!
   Schon sind handgemein die Streiter.
   Da sieht Rustan jenen Khan,

Der so überstolz getan,
Sprengt auf ihn, – zwar, wie mich dünkt,   1185
Ist das just der Punkt, der hinkt –
Rustan stürzt. Allein, was tut's!
Unsre Völker, hohen Muts,
Sehen bange Zweifel schweben
Ob des Führers teurem Leben,   1190
Dringen nach, und – sahst du's nicht!
Bald kein Feind mehr im Gesicht.
Also sich's begeben hat;
Ich bin selbst das Zeitungsblatt,
Schwarz gekommen schon zur Erden,   1195
Darf's nicht erst durch Lügen werden.

    Da kommt Rustan mit dem König,
Tut schon vornehm, blickt schon stolz.
Ei, umgüldet's nur ein wenig,
Dünkt sich Edelstein das Holz.   1200
        (Der König und Rustan kommen.)
K ö n i g. Hörtest du? vernahmst du? sahst du?
Ihres Mundes freundlich Lächeln,
Ihrer Rede Sommerfächeln,
Fühltest du den Druck der Hand?
Ja, Gülnare, meine Tochter,   1205
Sinnt nicht länger Widerstand.
Freude, Wonne, sondergleichen!
Ihre Hand will sie dir reichen;
Und was an des Todes Toren
Ich mir selber zugeschworen,   1210
Und was Nacht bisher verhüllt,
Glänzend, herrlich wird's erfüllt.
Du, an meiner Tochter Seite,
Sitzest auf der Väter Thron,
Breitest aus in alle Weite   1215
Mit der Kriegsdrommete Ton
Dieses Landes Macht und Ruhm,
Noch vor wenig kurzen Tagen
Stolzer Nachbarn Eigentum.
Und sie zittern und sie beben   1220
Vor dem Dräun der starken Hand,

Und des Ruhmes Säulen heben
Hoch den Thron von Samarkand.
Sieh dies Land, es ist das deine,
Sieh mein Selbst, es folgt dem Land;   1225
Oh, des sel'gen Abends Scheine,
Da ich dich, den Retter fand! *(Er setzt sich.)*
Ich bin müd, bringt mir zu trinken,
Selbst die Freude schwächt die Kraft.
Alles scheint mir zuzuwinken: 1230
Tu, was neu das Alte schafft.

     Gebt mir Wein, die Zunge lechzet,
Und verschließt des Zeltes Hüllen.
Freuden, wie sie mich erfüllen,
Hegt man gern bei sich allein.   1235
*(Zanga gibt den Auftrag. Man geht um Wein. Die Vor
        hänge des Zeltes fallen herab.)*
R u s t a n. Wenn auch das, was ich getan,
Voll und wirklich Lohn erheischet,
Doch so übermäß'ge Gunst –
K ö n i g *(aufstehend).*
Laß du über dem Geschick,
Auszugleichen Wert und Glück!   1240
Wär's Verdienst denn, wenn der Regen
Niederträuft auf unsre Flur?
Ist Verdienst es, wenn der Leu,
Reichbegabt und stark und frei
Hineilt auf des Wildes Spur;   1245
Wenn die kreisende Natur
Aus der Gaben Reichtum spendet,
Achtlos, *wer* ihn zu sich wendet?
Auch der Zufall will sein Spiel.
Nimm, was dein; und scheint's zuviel,   1250
Dieses als zuviel Erkennen
Macht dich wert, es dein zu nennen.

     Eins nur ist noch zu bericht'gen:
Rustan, alle, die ich fragte
Nach den Eltern, die du nanntest,   1255
Nach den Deinen, deiner Abkunft,

Niemand will die Namen kennen,
Und den Stamm, das Volk, den Ort.
Z a n g a. Ist's doch auch ein kleines Völkchen,
Seiner Herden Zucht ergeben,   1260
Und da sie nomadisch leben,
Kommt's heut an, zieht morgen fort.
R u s t a n. Dann, o Herr, wenn erst das Was
Des Geschehnen klar und deutlich,
Forscht man viel noch hinterher   1265
Um das Wie und um das Wer?
K ö n i g. Du hast recht! und wer auch immer,
Bist du immer doch derselbe,
Der mein Land, mein Volk befreit;
Der an jenem grausen Morgen   1270
Meiner Tage Rest geborgen,
Dessen Mute, dessen Schlag
Jenes Untiers Grimm erlag.
Bist derselbe, und bist's nicht;
Und wenn nicht, mir so viel teurer,   1275
Als mir teuer dies dein Selbst.

Wenn ich dich so vor mir sehe,
Hochgewachsen, stark und kühn,
Mit der hellen, klaren Stimme,
Freu ich doppelt mich und dreifach,   1280
Daß du anders, als ich damals
In der Sinne wirrem Wanken,
Mehr ein Wahnbild der Gedanken,
Meines Retters Bild gesehn.
Du schienst damals klein und bleich,   1285
Eingehüllt in braunen Mantel,
Und die Stimme scharf und schneidend –
(Man hört aus der Ferne Gemurmel von Stimmen, dazwi-
schen klagend ausgestoßene Laute.)
K ö n i g. Welch Geräusch? – Seht zu, was ist.
(Es geht jemand.)
Widerlich stört's meine Rede,
Und dazwischen Klagetöne   1290
Fast wie jene –
(Zu Rustan.)   Warst du damals

Auch mit diesem ganz allein? *(Auf Zanga weisend.)*
War kein dritter, war kein andrer
Neben dir?
R u s t a n.   Nur er und ich.
K ö n i g. Eine Stimme, dumpf und schaurig,   1295
Die ich früher schon gehört,
Sonst im Leben schon vernommen,
Schien da in mein Ohr zu kommen,
Wie ich lag von Angst betört.
Du standst damals –
R u s t a n.   Herr, am Felsen.   1300
Z a n g a. Oben, oben, auf dem Felsen.
K ö n i g. Oben, recht! Je mehr ich sinne,
Um so widerlicher wird's.
Auf dem Felsen, klein und bleich,
Eingehüllt in braunen Mantel,   1305
Und die Stimme —
          (Die vorigen Klagelaute wiederholen sich.)
K ö n i g.   Pfui des Lauts!
Schafft sie fort, die ekle Stimme,
Die Erinnerung mit ihr.
          (Zanga geht ab.)
          (Ein Diener hat Wein gebracht.)
K ö n i g.
Hier ist Wein. Komm, laß uns trinken!
Weg es waschen dieses Bild!   1310
Was ich damals dumpf geträumt,
Lieblich hat's den Platz geräumt
Dem Erfreulichen, dem Wahren.
Wo sich Götter offenbaren,
Kündigt sie ein Schauder an,   1315
Daß, wenn ein die Mächt'gen fahren,
Schon die Pforten aufgetan.
Hier ist Wein. Komm, laß uns trinken!
Und noch diesen Abend sollen
Laute Zimbeln und Trommeten   1320
Hoch von dieser Feste Türmen
Es in alle Lüfte stürmen,
Daß du Erbe mir und Sohn.
Ja, du Edler, ja, du Guter,

Schutzgeist, Lebensretter du,   1325
Sieh dein Vater trinkt dir's zu!
(Indem er den Becher emporhebt und Rustan sich vor ihm
auf ein Knie niederläßt, kommt Zanga eilig zurück; hart
hinter ihm ein Kämmerling.)
K ö n i g *(einhaltend).* Was begab sich?
Z a n g a *(zu Rustan leise).*   Herr, nur Mut!
K ö n i g. Soll ich länger noch erwarten –?
K ä m m e r l i n g. Herr, die Stadt beinah in Aufruhr.
K ö n i g *(den Becher abgebend).*
Aufruhr? Torheit! Und warum?   1330
K ä m m e r l i n g. Herr, die Wellen des Tschihun,
Die an unsern Mauern nagen,
Haben auf den flachen Sand
Eines Mannes Leib getragen,
Der durch Mord sein Ende fand.   1335
K ö n i g. Laßt sie das dem Richter klagen!
K ä m m e r l i n g.
Und der Mann, er ward erkannt
Als derselbige mit jenem,
Den, aus deiner Kämmrer Scharen,
Nie hat man den Grund erfahren,   1340
Du vorlängst vom Hof verbannt.
K ö n i g. Wohl, ich weiß. – Doch diese Laute?
Schaurig, widrig, wirren Klanges –?
K ä m m e r l i n g. Herr, es ist sein alter Vater,
Den du kennst, der stumme Mann;   1345
Eine Schrift in seinen Händen,
Fleht er um Gericht dich an.
K ö n i g. Wohl, es sei ihm, doch er schweige!
Rustan!
R u s t a n. Herr!
K ö n i g.   Du kanntest nie
Jenen Mann, der nun getötet?   1350
R u s t a n. Herr, so meinst du –?
K ö n i g.   Nun, nur Gutes.
Doch die Stimme, deren Klang
Damals mir zu Ohren drang,
Als du mich befreit beim Jagen,
Schien des Manns, der nun erschlagen.   1355

Es kommt näher, wächst im Raum,
Wie ein halbvergeßner Traum.

Und wen klagt man an als Täter?
K ä m m e r l i n g. Herr –
K ö n i g.   Du zögerst?
K ä m m e r l i n g.   Wag ich's?
K ö n i g.   Sprich!
Wen zeiht man des Mordes?   1360
K ä m m e r l i n g.   Dich!
K ö n i g. Mich? Ha Torheit und Verrat!
Nicht nur *ein* Sinn fehlt dem Alten,
Alle fehlen in der Tat.
(Die Vorhänge auseinanderschlagend.)
Komm herein, du Mann der Torheit,
Stumm an Zunge, an Verstand,   1365
Und beweise deine Klagen,
Oder stirb von meiner Hand!
(Der alte Kaleb, grau gekleidet, mit schwarzem Überwurf,
weißem Bart und Haar, tritt, von Karkhan geleitet, eine
Schrift emporhaltend, ein und wirft sich vor dem Könige
nieder, wobei er, nach Art der Stummen, unartikulierte
Laute ausstößt.)
K ö n i g. Nicht berühre meine Kleider,
Bis du Widerruf getan.
Z a n g a *(leise).* Herr, was dünkt euch?
R u s t a n.   Harr und schweig! 1370
Z a n g a. Diesen Mann sah ich schon früher.
Gleicht er nicht –?
R u s t a n.   Ob auch! Wem immer!
Laß uns hören, was er bringt.
K ö n i g *(dem der Alte eine Schrift emporgereicht hat).*
Was soll ich mit diesen Zeilen?
Zorn quillt mir im Auge heiß.   1375
(Zu dem Führer des Greisen.)
Bist du einer, der da weiß?
K a r k h a n. Seinem Hause nah verwandt.
K ö n i g. Nun, so sprich, was dir bekannt.
K a r k h a n. Was man sagt, nicht was ich meine.
Jenen Toten, dir bewußt,   1380

Fanden wir im Abendscheine,
Einen Dolch in seiner Brust.
Und der Dolch – er war der deine.
K ö n i g. Mein Dolch? Wie? *(Seinen Dolch halb ziehend.)*
                    Hier ist mein Dolch.
K a r k h a n. Jenen Dolch, den du beim Jagen   1385
  Pflegtest in dem Gurt zu tragen,
  Und auch trugst zu jener Zeit,
  Da ein Wunder dich befreit.
K ö n i g *(zu Rustan tretend, halblaut)*.
  Rustan, dir gab ich den Dolch,
  Der im Wahnwitz der Gefahr   1390
  Meiner Hand entfallen war.
  Bring ihn her! Gib mir ihn wieder!
  Du entfärbst dich? – Rustan! Rustan!
  Jener Mann, den sie beschrieben,
  Ward durch mich vom Hof vertrieben,   1395
  Weil sein Trachten, frech gesinnt,
  Sich erhob zu meinem Kind.
  Also denn dein Nebenbuhler!
  Rustan! Rustan! Und die Stimme,
  Die von jenem Felsen sprach,   1400
  Und nun auftaucht, hell und wach,
  Sie glich jenes Mannes Stimme,
  Der nur jetzt des Mörders Grimme,
  Unbekanntem Tod erlag.
  Rustan, gib den Stahl mir wieder. *(Laut.)*   1405
  War's ein Dolch mit grünen Steinen?
K a r k h a n. Mit Smaragden reich besetzt;
  Tief im Busen eingetrieben,
  Wo er graß zusammenhielt
  Den durchnäßten braunen Mantel.   1410
K ö n i g. Braunen Mantel? – Stand am Felsen –
  Bleich und hager – du standst seitwärts.
  Oben er, und schoß – Wer traf?
  Rustan! – Sprich nicht jetzt!
  Nicht ein Wort, das dich gereuet.   1415
  Ich will hin, den Toten sehn,
  Du magst nach dem Dolche gehn.

Alter, folg! und folget ihr! *(Zu Rustan tretend.)*
Auf! zerstreue diese Wolke!
Denn Rechtfert'gung schulden wir,   1420
Ich, der Fürst, dem ganzen Volke,
Du, der Sohn und Bürger, mir.
(Er geht, von Kaleb und seinem Gefolge begleitet ab.)
Z a n g a. Herr, was nun?
R u s t a n.   Das fragst du mich?
Du, der sonst so überreichlich
Mittel wußte, Knitte, Ränke,   1425
Der mich bis hierher geleitet;
Losgerissen von der Heimat,
Mich die Würfel hieß ergreifen
Zu des Glückes falschem Spiel?
Dessen Zunge Schmeichellaut   1430
Ich, ein Törichter, vertraut;
Der mit Lügen und mit Leugnen
Mich verlockt, mir anzueignen,
Was ein anderer getan;
Abgelockt mich von der Bahn,   1435
Von der ebenen, geraden,
Von des Ruhmes goldnen Pfaden.
Z a n g a. Ebnen Pfaden? Schöner Wahn!
Ach, verzeiht zu hohen Gnaden,
Fast kommt mir ein Lachen an.   1440
Wackre Faust und schlichter Geist
Fördern auch und bringen weiter,
Etwa zu 'ner Fahne Reiter,
Einer Hauptmannsstell' zumeist,
Läßt mit halbzerschoßnen Knochen   1445
Magre Gnadensuppen kochen.
Aber wen es höher treibt,
Auf zu Glückes reichern Spenden,
Wenn auch der im Fußweg bleibt,
Mag er nur die Schritte wenden.   1450
Ich stellt' Euch mit einem Ruck,
Sei's im Guten, sei's im Schlimmen,
Auf des Berges höchsten Hang,
Dessen Mitte zu erklimmen
Ihr gebraucht ein Leben lang.   1455

R u s t a n. Und nun gähnt der Untergang!
Z a n g a. Pah! und was ist auch verloren?
    Wenn Ihr nicht die Schlange schlugt,
    Habt Ihr doch den Feind geschlagen,
    Allen ihren künft'gen Tagen   1460
    Heil gebracht und Sicherheit.
    Habt Ihr nicht das Heer für Euch?
    Flüchtet Euch in ihre Reihen,
    Die Euch kühn gefolgt im Streit;
    Mag dann dieser König dräuen,   1465
    Und wer weiß, wer noch gebeut.
    Herr, nur Mut! Dort seh ich zwei
    Von den Führern unsers Heeres.
    Wie sie lauern! wie sie spähn!
    Bleibt nur hier und harrt der Dinge,   1470
    Ich will mal sie prüfen gehn.
(Er geht nach dem Hintergrunde auf den Halbkreis von
    Menschen zu, die dort zurückgeblieben sind.)
R u s t a n.
    Folg ich ihm? benütz ich eilend
    Die Gelegenheit der Flucht?
    Schändlich! Niedrig! Greulich! Greulich!

    Nicht daß ich den Mann erschlug.   1475
    Hab ich ihm den Tod gegeben,
    War's, verteidigend mein Leben,
    War's, weil jener Brücke Pfad,
    Schmal und gleitend wohl genug,
    Einen nur von beiden trug.   1480
    War's, weil er mit gift'gem Hohn
    Lauernd seine Tat versteckte,
    Und die Hand erst nach dem Lohn,
    Dem bereits gegebnen, streckte.
    War es, weil – muß ich's denn sagen –   1485
    Er und ich zwei Häupter tragen,
    Und dies Land nur eine Kron'.
    Es geschah. Allein, wenn nicht,
    Ständ', genüber seiner Tücke,
    Jetzt ich auf der Schauerbrücke,   1490
    Es geschähe jetzt, wie da.

Doch, daß nach durchfochtnem Krieg,
Da mein Stern zum Scheitel stieg,
Ich, verklagt, soll Antwort geben
Über ein so niedrig Leben,　　　　　　　　　1495
Dafür tröstet mich kein Sieg.

　Oh, hätt' ich, o hätt' ich nimmer
Dich verlassen, heimisch Dach,
Und den Taumelpfad betreten,
Dem sich Sorgen winden nach.　　　　　　　1500
Hätt' ich nie des Äußern Schimmer
Mit des Innern Wert bezahlt,
Und das Gaukelbild der Hoffnung
Fern auf Nebelgrund gemalt.
Wär' ich heimisch dort geblieben,　　　　　　1505
Wo ein Richter noch das Herz,
Wo kein Trachten ohne Lieben,
Kein Versagen ohne Schmerz!

　Ha, und doch! zurück es lassen,
Was mir anbeut das Geschick?　　　　　　　1510
Diese Stadt mit lauten Gassen,
Eines Reiches fürstlich Glück?
Wornach heiß mein Wunsch getrachtet,
Leibhaft, wirklich, schau ich's an
Und beim Griff der Hand umnachtet　　　　1515
Mich ein gaukelhafter Wahn?
Standen nicht der Vorzeit Helden
Oft auf gleicher Zweifelbahn?
Tu's! ließ Geist und Mut sich hören;
Tu's nicht! rief das Herz sie an;　　　　　　1520
Und sie ließen sich betören,
Um den Zaudrer war's getan,
Oder taten's, und wir schwören
Nun bei dem, was sie getan.

　Ich will harren, ich will bleiben,　　　　　1525
Gähnte weit des Todes Schlund;
Und wer's wagt, mich zu vertreiben,
Stehe fest auf seinem Grund.

(In einer Öffnung des Halbkreises, den die in der Ferne
　　stehenden Menschen bilden, wird Zanga sichtbar.)
R u s t a n. Zanga! Zanga!
Z a n g a *(kommt nach vorn, von einem graugekleideten*
　　alten Weibe gefolgt, das einen Becher trägt).
　　　　　　　　　　　Fort, du Hexe!
D i e A l t e. Zanga, komm! gib's deinem Herrn! 1530
Z a n g a. Laß mich! Laß mich!
D i e A l t e. 　　　　　　　Böser Diener!
　　Sorgst du nicht um deinen Herrn?
R u s t a n. Was ist das?
Z a n g a. 　　　　　　Weiß ich es selber?
　　Sie verfolgt mich mit dem Becher,
　　Nennt's ein Mittel, nennt's Arznei. 1535
D i e A l t e. Wohl Arznei! Du böser Diener!
　　Nimm es nur, gib's deinem Herrn!
Z a n g a. Laß mich, laß!
R u s t a n. 　　　　　Wer sendet sie?
D i e A l t e. Ich mich selbst, mein schöner Herr!
　　Du bist krank; sieh, das erfuhr ich – 1540
R u s t a n. Krank?
D i e A l t e. 　　　Ei, Sohn! Bedenklich krank!
　　Wie glimmt wild dein dunkles Auge,
　　Wie zuckt gichterisch der Mund!
　　Gib die Hand mir, reich den Arm,
　　Und ich deute dir dein Fieber. 1545
R u s t a n. Laß!
D i e A l t e. 　　Wohl krank! *ansteckend* krank!
　　Einer starb schon, der dir nahte,
　　Draußen liegt er auf dem Sand.
　　Und der König fürchtet auch wohl,
　　Daß dein Übel ihn ergreife, 1550
　　Darum harrt er, weilt mit Vorsatz,
　　Will dir Zeit, mein Söhnlein, geben,
　　Zu entweichen, zu entfliehn.
R u s t a n. Zanga!
D i e A l t e. 　　　Nun! Nur nicht verzagt!
　　Sieh, mein Sohn, hier ist ein Mittel, 1555
　　Sieh den glimmernd schäum'gen Saft.
　　Kaum benetzt er deine Lippen,

Sinkt die Brandung ebbend nieder,
Lösen sich die müden Glieder,
Schweigt der Schmerz, erlischt der Tag,   1560
Zürne dann, wer zürnen mag!
R u s t a n. Greulich! Greulich!
D i e A l t e.   Ei, ich seh wohl,
Dich erschreckt des Trankes Anblick,
Weil er gar so brausend zischt.
Ei, das gibt sich, ei, das legt sich,   1565
Wie Begeisterung der Jugend.
Auch, mein Sohn, in Wein gegossen,
Wirkt ein Tropfen wie das Ganze.
Hier steht Wein. Ha, und der Becher,
Sieh! wie gleicht er hier dem meinen.   1570
Nun, ich mische dir den Trank.
(Sie nähert sich dem Tischchen neben dem Ruhebette, auf
dem des Königs Becher steht.)
R u s t a n *(sie anfassend).*
Halt! – Und Zanga! – Laß den Vorhang –
Laß des Zeltes Vorhang nieder!
(Zanga zieht den Vorhang, er schließt sich.)
D i e A l t e. Hi, hi, hi! Warum den Vorhang?
Warum Decken denn und Hüllen,   1575
Wenn wir Rechtes nur erfüllen?
Ei, du möchtest wohl den Trank,
Aber auch, daß man dich zwänge!
Ei, ich zwinge niemand, Sohn!
Bietend reich ich meine Gaben,   1580
Wer sie nimmt, der mag sie haben.
Und so stell ich hin den Becher,
Der dich reizt, und der dich schreckt.
Wird dein Übel, Söhnlein, schlimmer,
Weißt du, was dir Heilung weckt.   1585
Doch nicht bloß an dich gebunden,
Andern auch hilft dieser Trank,
Macht die Kranken schnell gesunden,
Die Gesunden freilich krank.
(Sie hat den Becher auf den links stehenden Tisch gestellt.)
Nun, mein Söhnlein, Gott befohlen!   1590
Ohne Abschied, ohne Dank!

R u s t a n (*der mit gesenktem Haupte sinnend im Vor-*
        grunde gestanden, fährt jetzt empor und faßt die Alte
        an). Halt! und nimm zurück den Becher,
        Nimm zurück ihn, deinen Trank!
(*Er ergreift den auf dem Tischchen rechts stehenden Becher*
        und drückt ihn der Alten in die Hand.)
D i e   A l t e. Hi, hi, hi! Hast dich vergriffen!
        Dort steht er, der edle Trank.   1595
        Das hier ist ja Saft der Trauben.
        (*Sie trinkt.*)
        Wie das labt – wie das erquickt!
        (*Den Becher umwendend.*)
        Leer und aus! – Nu, dir zum Heile!
        Und den Becher mir zum Lohn.
        (*Sie steckt den Becher in ihr Gewand.*)
        Wohlgemut, mein teurer Sohn.   1600
        Nicht die Hand vors Aug' geschlagen!
        Was dir kommt, das mußt du tragen,
        Eine Leiche, auf dem Thron.
        Bist nun deines Schicksals Meister,
        Sprichst ein Wort im Rat der Geister,   1605
        Trägst dein eigen Los davon.

        Horch! man kommt. Nun, ich will gehen.
        Unbesorgt! Sie sehn mich nicht.
        Ob gleich alle zu mir flehen,
        Scheut doch jeder mein Gesicht.   1610
        Sieh dort offen eine Spalte
        In des Zeltes dünner Wand,
        Raums genug für eine Alte.
        Nun, mein Sohn, die Zukunft walte!
        Glück, Entschlossenheit, Verstand!   1615
(*Sie hinkt nach der rechten Seite des Zeltes und zieht sich*
hinter die Umhänge des dort stehenden Ruhebettes zurück,
blickt noch einmal, die Vorhänge aufhebend, hervor und
        wird dann nicht mehr gesehen.)
R u s t a n. Sieh! wo kam sie hin, die Alte?
Z a n g a. Herr, ich weiß nicht. Sie entschwand.
        War's dort durch des Umhangs Spalte,
        War's – mir bleibt es unerkannt.

Rustan. Schweig, und gib das Tuch. 1620
(Auf ein dunkelrotes Tuch zeigend, das Zanga lose um den
Hals geschlungen trägt.)
Zanga. Das Tuch?
Rustan. Wohl, das Tuch – so! – und nun stille!
(Er hat das dunkelrote Tuch über den gleichbehangenen
Tisch links und den darauf stehenden Becher gebreitet und
steht in banger Erwartung.)
(Die Vorhänge des Zeltes tun sich auf. Der König tritt ein,
hinter ihm Kaleb, Karkhan und zwei Begleiter.)
König. Du noch hier?
Rustan. Wo sonst, mein König?
König. Nun, ich dachte dich entfernt.
Geht, ihr andern.
(Zu Kaleb.) Du nur bleib!
(Das Gefolge entfernt sich, die Vorhänge des Zeltes wer-
den geschlossen.)
König *(der einem der Abgehenden den braunen Mantel*
und den Dolch abgenommen hat, die dieser trug, den
Mantel auf den Boden hinwerfend).
Rustan! kennst du diesen Mantel? 1625
Diesen Mantel, diesen Dolch?
Rustan. Schlecht versteh ich mich auf Kleider;
Doch auf Waffen gut, du weißt's.
König. Nun denn: kennst du diese Waffe?
Rustan. Wohl; es ist derselbe Dolch, 1630
Den du einst verlorst beim Jagen.
König. Ich verlor? Den ich dir gab.
Rustan. Ja, nachdem du ihn verloren,
Und ich ihn gefunden, Herr;
Wie ihn wohl ein andrer fand, 1635
Als ich selbst ihn drauf verloren.
König. Du verlorst ihn?
Rustan. Wohl.
König. Ein andrer
Fand ihn?
Rustan. Also scheint's.
König. Und tat
Jener andre das Verbrechen,
Das laut aufmahnt, es zu rächen? 1640

R u s t a n. Laß mich Herr, von dem nur sprechen,
  Was ich selber tat und weiß.
K ö n i g. Und der Mantel?
R u s t a n.   Herr, ich sagt' es:
  Schlecht versteh ich mich auf Kleider.
K ö n i g. Doch die Züge jenes Toten,   1645
  Sie sind auch des Mannes Züge,
  Der mich auf der Jagd befreit.
R u s t a n. Du warst damals kaum bei Sinnen,
  Erst nur hast du's selbst bekannt.
K ö n i g *(die Schrift emporhaltend, die ihm der alte Kaleb
  gab).*
  Und die Schrift hier sagt so vieles,   1650
  Zeigt, wie dem so graß Verblichnen
  Hohes Unrecht ich getan.
R u s t a n. Tatst du dem Verblichnen unrecht,
  Tu nicht Gleiches dem Lebend'gen.
  Was soll mir die tote Schrift?   1655
  Laß dir meine Taten sprechen!
  Wer schlug jene blut'ge Schlacht,
  Die dir Heil und Sieg gebracht?
  Wer befestigte die Krone,
  Halb von einem Feind geraubt,   1660
  Wieder dir auf deinem Haupt?
  Dankst du's nicht, wenn du noch dräust,
  Dem Bedrohten, mir, zumeist?
  Ha, ich find es wohl bequem,
  Dadurch sich den Dank zu sparen,   1665
  Daß dem Retter, daß wir dem,
  Durch den Heil uns widerfahren,
  Häufen auf des Vorwurfs Last;
  Den Berechtigten, mit Lachen,
  Zum Verpflichteten uns machen.   1670
  König, mir gib erst mein Recht!
  Was geschehn an jenem Knecht,
  Laß uns künftig sehn und rächen.
  Jetzt erst halte dein Versprechen,
  Gib, was du mir zugesagt!   1675
K ö n i g. Halt! Was damals ich versprach,
  Zogen andre Gründe nach!

Wer mein Höchstes sein will sehn,
Muß, ein Reiner, vor mir stehn.
Reine dich vor meiner Macht!   1680
Noch hat niemand es erfahren,
Was dich drücket für Verdacht;
Zeit geb ich dir diese Nacht
Mit dir selbst zu Rat zu sitzen,
Was dir frommen mag und nützen.   1685
Aber bricht der Morgen an,
Ohne daß du's dargetan,
Samml' ich einen andern Rat
Aus den Besten meines Heeres;
Der soll sitzen und entscheiden,   1690
Wer im Recht ist von uns beiden.
(Er wendet sich von ihm; zu Kaleb.)
Alter, komm! Ich will nun lesen
Deine Schrift, so weit sie geht.
Was dein armer Sohn gewesen,
Zeigt sie deutlich – nur zu spät.   1695
(Am Sofa rechts stehend.)
Doch erst geh nach Licht und Wein.
Es wird dunkel, und mich dürstet.
Hier ließ ich, da erst ich ging,
Stehen einen vollen Becher,
Einen Becher Freudenwein.   1700
Sog ihn denn der Boden ein?
Zwar, die Freude ist vergangen,
Und verging denn auch der Wein?
(Rustan hat ergrimmt das über dem Becher auf dem Tische
links ausgebreitete Tuch hinweggerissen.)
K ö n i g. Doch, dort steht er. Wie er blinkt,
Freundlich mir entgegenwinkt!   1705
Ach, was ist seitdem vergangen,
Seit mein Mund an dir gehangen!
Zanga, geh nach Licht! *(Zanga geht ab.)* Du, Alter,
Bring mir her dort jenen Becher,
Jenen frohen, holden Wein!   1710
Ach, vielleicht, daß von dem Glück,
Das in mir, als ich getrunken,
In den Kelch ein Hauch gesunken,

Und er gibt ihn nun zurück.
Bring den Becher, bring den Wein!   1715
(Er hat sich auf das Sofa gestreckt. Der alte Kaleb geht nach
dem Becher auf dem Tisch links. Da er ihn bereits ergriffen,
fällt ihm Rustan in den Arm.)
R u s t a n. König, trink nicht!
K ö n i g.   Und warum?
R u s t a n. Nicht aus dieses Mannes Hand,
   Der durch schlau erdachte Lügen
   Ab mir deine Gunst gewandt,
   Und der töten kann, wie lügen;   1720
   Nicht aus dieses Mannes Hand!
K ö n i g. Ruhig sei du nur zur Stund'!
   Was er sprach,
   (Die Schrift in seiner Hand haltend.)
                    was hier geschrieben,
   Ist dem Wahren treu geblieben,
   Wahrheit sprach sein stummer Mund.   1725
   Und so nehm ich mit Vertrauen
   Das Gefäß aus seiner Hand.
   Wer wird allen denn mißtrauen,
   Weil ein einz'ger nicht bestand?
R u s t a n. Wohl denn! sei's zum Glück gewandt!   1730
(Er läßt den Alten los, der den Becher dem Könige bringt.)
K ö n i g. Rustan, sieh hier diesen Becher,
   Den ich erst dir zugetrunken,
   Erst als Erben und als Sohn,
   Sieh, ich halt ihn jetzt noch immer
   Mit versöhnlichem Gemüt.   1735
   Dünkt es gut dir, aufzuklären,
   Was geschehn, was du getan; —
   Zwar nicht mehr als Sohn und Erbe,
   Da reicht Höhres nur hinan; —
   Doch mit Zeichen meiner Gnade,   1740
   Mit Geschenken reich geschmückt,
   Sollst du ziehen deine Pfade,
   Wie kein Sterblicher beglückt.
   Laß den Frieden uns erneuen!
   (Den Becher emporhebend.)
   Rustan! Allen, die bereuen!   1745

R u s t a n *(vor sich hin).* Prosit! – Wen's zuerst gereut!
(Er wendet sich ab.)

(Da der König im Begriffe ist zu trinken, öffnen sich die
Vorhänge des Zeltes und Zanga tritt ein; hinter ihm Diener
mit Lichtern und Wein.)

K ö n i g. Setzt die Lichter auf den Tisch,
   Und geht hin zu meiner Tochter;
   Ich will hier des Abends Kühle
   Noch ein Stündchen mir genießen.   1750
   Erst zu Nacht erwartet mich!
   Aber fort mit den Gefäßen!
   Hier ja steht mein Freudenwein. *(Er trinkt.)*
   Nie ja trank ich so gewürzten,
   Feurig-starken, schäum'gen, dunkeln;   1755
   Jugendähnlich gleitet er
   Durch die abgespannten Fibern,
   Und die Luft im Raum erzittert
   Von dem sprühend geist'gen Duft.
   Köstlich! labend! *(Er trinkt.)*
Z a n g a.   Herr, o sieh!   1760
R u s t a n. Schweig!
Z a n g a.   Die Führer auch des Heeres
   Sind gewonnen, Euch zu Dienste.
   Über Undank murren sie,
   Harren Eurer.
R u s t a n.   Nun, ich komme.
K ö n i g. Geht ihr andern! Kaleb, bleib!   1765
   (Die Diener gehen.)
   Laß uns sehen diese Schrift,
   Die zerstreuten einzlen Blätter,
   Die dein Sohn aus der Verbannung,
   Nebst der Schutzschrift, die wir lasen,
   Schrieb dem tiefgekränkten Vater.   1770
   Hier stehn Namen, die ich kenne.
   Horch! und – schweig! sagt' ich beinah,
   Doch du schweigst ja jetzt und immer.

(Rustan ist, den übrigen folgend, bis zu des Zeltes Ausgang
gekommen, dort bleibt er stehen und tut, lauschend, einige
Schritte zurück. Der König liegt lesend auf dem Sofa, an
dessen Seite der alte Kaleb, auf den Knien niedergekauert,

zuhört. Die Lichter auf dem Tische erhellen die Gruppe. Der
übrige Teil der Bühne ist dunkel.)
Der König *(liest).*
»An den Quellen des Wahia
Leb ich einsam, ein Verbannter,   1775
Nah des alten Massud Hause.«
Also schreibt dein armer Sohn
In dem ersten seiner Blätter.

»Sah dort Mirza, seine Tochter,
Sie, die einz'ge, die vergleichbar,   1780
Nahe mindstens kommt Gülnaren,
Meines Herrn erlauchter Tochter.«
Wohl erlaucht! Hättst du's bedacht,
Dein Geschick wär' leicht und milde.
(Weiterlesend.)
»Rustan, Rustan, wilder Jäger!   1785
Warum quälst du deine Liebe,
Suchst auf unbetretnen Pfaden
Ein noch zweifelhaft Geschick?«
(Die hintern Vorhänge werden durchsichtig und zeigen in
heller Beleuchtung Mirza mit in dem Schoße liegenden Hän-
den vor der Hütte ihres Vaters sitzend. Vor ihr steht ein
Greis, in Gestalt und Kleidung ganz dem alten Kaleb ähn-
lich. Er hält eine kleine Harfe im Arm. Rustan, der zu-
sammenfahrend einige Schritte zurückgewichen ist, macht,
mit beiden Händen auf die beiden Greise zeigend, ihre
Ähnlichkeit bemerkbar.)
König *(lesend).*
»Schau, sie kommt dir ja entgegen,
Sorgt um dich mit frommen Blick,   1790
(Mirzas Gestalt erhebt sich.)
Kehr zurück auf deinen Wegen,
Wenn nicht hier, wo ist das Glück?«
Rustan. Mirza! Mirza!
              (Die Erscheinung verschwindet.)
König.   Wer ist hier?
Rustan *(vortretend).*
Ich, mein Fürst.
König.   Und was führt her dich?

R u s t a n. Nennen hört' ich meinen Namen, 1795
    Und ich glaubte, Herr, du riefst.
K ö n i g. Nicht nach dir; doch rief ich Rustan;
    War's ein andrer gleich, der fern wohnt
    An den Quellen des Wahia.
    Doch, da hier, magst du nur bleiben. 1800
    Manches steht wohl hier geschrieben,
    Das du deuten kannst und sollst.
        (Rustan zieht sich zurück.)
D e r K ö n i g *(liest weiter).*
    »Rustan, Rustan! wilder Jäger« – *(Einhaltend.)*
    Wird's mir dunkel doch und wirre!
    Alter, rück die Leuchte näher, 1805
    Schlummer, scheint's, trübt meinen Blick.
    Noch ein Schluck. *(Er trinkt.)*
        Nun, so scheint's besser. *(Er liest.)*
    »Rustan, Rustan, wilder Jäger,
    Kehr zurück auf deinen Pfaden!
    Was ist Ruhm, der Größe Glück? 1810
    Sieh auf mich! Weil ich getrachtet
    Nach zu Hohem, nach Verbotnem,
    Irr ich hier in dieser Wüste,
    Freigestellt das nackte Leben
    Jedes Meuchelmörders Dolch.« 1815
*(Die Wand des Zeltes wird von neuen durchscheinend. Es
zeigt sich, hell beleuchtet, der Mann vom Felsen. Der braune
Mantel hängt nachschleppend über die rechte Schulter. An
der linken entblößten Brust nagt eine Natter, die er in der
Hand hält.)*
K ö n i g *(liest).* »Und wenn ich ihn auch zermalme,
    Wie der Hirt die Schlange tritt,
    Bin ich minder tot?«
*(Der Mann vom Felsen macht eine Bewegung mit der Hand,
   als wollte er die Schlange nach Rustan schleudern.)*
R u s t a n *(niederstürzend).* Entsetzen!
        (Die Erscheinung verschwindet.)
K ö n i g. Was ist hier? *(Die Umhänge des Ruhebettes zu-*
   rückschlagend.)   Rustan am Boden?
    Was geschah? Sieh, Alter, hin! 1820
    (Der alte Kaleb nähert sich dem Hingesunkenen.)

R u s t a n *(sich emporrichtend).*
   Ist er fort? Ha, Zauberkünste!
   Und doch nur der Sinne Traum.
   (Nach rückwärts gewendet.)
   Kommst du immer, wenn's zu spät?
   Immer, wenn's bereits geschehen?
   Sieh den Becher halb geleert,   1825
   Ganz erfüllt schon mein Geschick.
K ö n i g. Mir wird schwül, mein Innres brennt.
   Aufwärts bäumen sich die Fluten,
   Alle Tropfen meines Blutes.
   Böser Trank. – Was war im Becher?   1830
   Rustan! Rustan! Was im Becher?
R u s t a n *(bebend).* Herr, weiß ich's?
K ö n i g.   Und das Gefäß!
   Was nur trübte meine Augen?
   Das ist nicht derselbe Becher!
   Fremde Zeichen stehen drauf,   1835
   Sinnlos wilde, wirre Zeichen.
   Wo mein Becher? Rustan, Rustan!
R u s t a n *(in die Knie sinkend).* Herr, weiß ich's?
D i e A l t e *(kommt hinter den Umhängen des Ruhebettes
hervor. Sie rollt den mitgenommenen Becher mit dem
Fuße vor sich her, dem Vorgrunde zu).*
        Hi, hi, hi!
        Lauf mein Rädchen,   1840
        Spinn dein Fädchen!
        Nun und nie!
        Hi, hi!
    (Sie verschwindet hinter den Vorhängen.)
*(Rustan hat sich bemüht den rollenden Becher aufzuhalten
und unter dem am Boden liegenden Mantel zu verbergen.)*
K ö n i g. Welch Geräusch? – Das ist mein Becher;
   Dieser hier ein unterschobner.   1845
   (Er ist vom Bette aufgestanden.)
   Rustan, Rustan! Heil'ge Götter!
   Ist denn niemand hier? Kein Helfer?
   Alter, komm, sei du mir Stütze!
   *(Zu Rustan, der noch immer mit dem Becher beschäftigt
ist.)*

Ha, umsonst verhüllst du es!
Ewig sichtbar dein Verbrechen!   1850

   Alter, hilf! Ach, ich vergehe!
Hört denn niemand? Eilt nach Ärzten!
Rettung! Beistand! Rache! Hilfe!
(Er sinkt am Eingange des Zeltes den dort Entgegenkom-
menden in die Arme. Die Vorhänge schließen sich über der
Gruppe.)
R u s t a n *(nachdem er einige Male nach dem vor ihm lie-*
genden Becher gegriffen hat, ihn endlich fassend).
Endlich! Endlich! – Ha, und dort!
(Er hebt auch den zweiten neben dem Ruhebette liegen-
den Becher auf, die Becher in beiden Händen wechsel-
weise betrachtend.)
Eins und eins!
(Mit den Augen am Boden suchend.)
          Wo ist der zweite?   1855
Eins und eins! Der zweite, wo?
Wo der andre, andre Becher?
(Er sinkt erschöpft mit dem Haupt gegen das Ruhebette.)
Z a n g a *(kommt).* Herr! ach, alles ist verloren!
R u s t a n *(fährt empor).*
Z a n g a. In den Armen drauß der Seinen
Liegt der alte Fürst vergehend.   1860
Seine Lippen stammeln Worte,
Er enthüllt wohl, was geschehn,
Was hier vorging, spricht er aus.
R u s t a n *(den Tisch neben dem Sofa von der Stelle rük-*
kend). Fort den Tisch hier und das Bette!
Dort hinaus entkam die Alte;   1865
Da hinaus entflieh auch ich.
Z a n g a. Fruchtlos, denn hier grenzt die Halle
An des Schlosses innre Räume;
Hier im Wege feste Mauern,
Dort verwehrt's ein tobend Volk.   1870
R u s t a n. Hier hinaus! Mit meinen Zähnen
Will ich an der Mauer brechen,
Hier mit diesen meinen Armen
Einen Rettungsweg zur Flucht.

Z a n g a. All umsonst! Denn horch! man kommt.   1875
R u s t a n. Nun, so halt bereit dein Messer, ·
     Und wenn sie mich greifen, Zanga,
     Stoß von rückwärts mir's in Leib.
     Hörst du wohl? von rückwärts, Zanga,
     Und wenn alles erst verloren.   1880
(Er steht, auf Zanga gestützt, mit vorhängendem Haupte.)
(Die Vorhänge des Zeltes teilen sich nach beiden Seiten. Die
Stadt ist vom Monde hell beleuchtet. Volk erfüllt den
                    äußern Raum.)
G ü l n a r e *(von ihren Frauen gefolgt, kommt von der*
     linken Seite und eilt nach dem Vorgrunde).
     Hier ist der, den ich genannt!
R u s t a n. Zanga! Deinen Dolch! Gib Waffen!
G ü l n a r e. Herr, zu dir gehn meine Schritte.
     Tot im Staube liegt mein Vater,
     Und die wutentbrannten Mörder –   1885
R u s t a n. Wer? Wer sah's? Wer weiß? Weiß ich's?
G ü l n a r e *(fortfahrend).* Jener greise, stumme Mann,
     Der, den Tod des Sohnes rächend,
     Ausgestreckt die frevle Hand
     Nach des edlen Fürsten Leben,   1890
     Seine Helfer und Genossen
     Ruhen nicht, bis sie dem Vater
     Mich, die Tochter, nachgesandt.
     Zwar, der Frevler ist gefangen,
     Aber mächtig sind die Seinen,   1895
     Man befreit ihn, er kehrt wieder,
     Und vollendet sein Geschäft.
R u s t a n. Zanga! Zanga! Spricht sie? Hör ich?
G ü l n a r e *(kniend).* Herr, o stoß mich nicht zurück!
     Deinen Namen auf den Lippen,   1900
     Starb der gute, alte Vater,
     Gleich, als wollt' er seine Liebe,
     Sein Vertraun auf deinen Beistand
     Noch im Abschied von dem Leben
     Mir als letzte Erbschaft geben.   1905
     »Rustan«, sprach er, und verschied.
     Und so fleh ich denn im Staube:
     Nimm die Einsame, Verlaßne,

Einst bestimmt zu nähern Banden,
Nimm sie auf in deinen Schutz!   1910
   (Trompeten.)
G ü l n a r e *(aufstehend).*
 Hörst du? Auch das Heer in Aufruhr.
 Es rückt an auf diese Mauern.
 Deinen Namen nennen sie,
 Ihren Führer, dich, als Herrn.
 Und das Volk schart sich zu ihnen,   1915
 Alle gegen mich gerichtet,
 Ohne deinen, deinen Schutz.
(Von der linken Seite, außer den Vorhängen, bringen einige
   Gewaffnete den alten Kaleb.)
G ü l n a r e. Siehst du dort den grauen Mörder?
 Wie er funkelt, wie er glüht!
 Weh!
Z a n g a *(die Hand an den Säbel gelegt).*
   Auf ihn! Haut ihn in Stücke!   1920
(Von der rechten Seite, aus dem Hintergrunde, ziehen in
Reihen bewaffnete Krieger und schwenken sich gegen die
   Mitte zu halb auf.)
G ü l n a r e. Dort das Heer! Ich bin verloren!
R u s t a n *(gegen Zanga und die Bewaffneten, die den alten*
 Kaleb bedrohen). Halt! *(Gegen die Reihen der Krieger.)*
   Und ihr! *(Auf Kaleb.)*
      Was er verbrochen,
 Ob er schuldig, ob er's nicht,
 Übergebt ihn meiner Obhut
 Und bestellet ein Gericht. *(Gegen das Heer.)*   1925
 Und ihr andern, wackre Krieger,
 Aber schuldig jetzt – gleich mir! –
 (Er wirft sich vor Gülnaren nieder.)
 Werft, gleich mir, euch hin im Staube.
 Eure Herrscherin steht hier!
(Die vordersten des Heeres knien, die übrigen senken die
   Lanzen.)
G ü l n a r e. Habe Dank! – Euch sei verziehen!   1930
 Allzu glücklich, als Empörer,
 Daß, was ihr mit Trotz begehrt,
 Eure Fürstin frei gewährt.

*(Man hat den Turban des Königs gebracht und die Krone
davon abgelöst.)*
    Dieses Landes Herrscherschmuck,
Er bleibt mein, ich geb ihn niemand,   1935
Sollte Tod mich übereilen,
Niemand, keinem, auch nicht dir!
Geben nie – wohl aber teilen!
*(Sie hebt die Krone in der Rechten hoch empor, während
Rustan mit den Zeichen wilder Verzweiflung die Stirne
gegen den Boden drückt.)*
D a s V o l k. Hoch Gülnare, unsre Fürstin!
    Hoch Gülnare, Rustan! Rustan!   1940
              (Der Vorhang fällt.)

VIERTER AUFZUG

Saal im königlichen Schlosse, links und rechts Seitentüren.
Im Hintergrunde links der Haupteingang, daneben ein
alkovenartiger Raum, durch einen Vorhang bedeckt. Rechts
im Vorgrunde ein Tisch und Stuhl.
Rustan, kostbar gekleidet, einen goldenen Reif im Haar,
kommt hastig durch den Haupteingang. In demselben
Augenblicke tritt Zanga durch die Seitentüre links ein.
Rustan bedeutet ihm mit auf den Mund gelegtem Finger,
umzukehren. Zanga zieht sich durch die Tür zurück. Rustan
selbst tritt in den durch den Vorhang abgeschlossenen Raum.
Karkhan und zwei seiner Verwandten kommen durch den
Haupteingang.

K a r k h a n. Hierher kommt, und folgt mir, Freunde!
  Was ich längst bei mir beschlossen,
  Jetzt und jetzo führ ich's aus.
  Könnt ihr länger es mit ansehn,
  Wie der eingedrungne Fremde   1945
  Eurer und der Euren spottet?
  Jeden Tag an Kühnheit wachsend,
  Jede Stunde an Gewalt?
  Schwinden täglich nicht die Besten,
  Denen seine Furcht mißtraut,   1950
  Unbemerkt aus unsrer Mitte?
  Wie? Wohin? Wer kann es wissen?
  Und sein Helfer, jener Schwarze,
  Den der Abgrund ausgespien,
  Stachelt tückisch seine Kühnheit   1955
  Bis zu selbstvergeßner Wut.
  Wo ist Recht noch und Gericht?
  Schmachtet nicht mein alter Ohm,
  Er, der sprachlos Unglücksel'ge,
  Schwarzer Frevel falsch beschuldigt,   1960
  Ungehört und unvernommen,
  Rechtlos hinter schwarzen Mauern,
  Überwiesen, weil verklagt?

Oh, daß ein gerechter Richter
Mit den Augen, statt den Ohren,   1965
Hörte seine stumme Sprache,
Die er spricht, der Unglücksel'ge,
Statt mit Lippen, mit der Hand;
Manche Zweifel würden schwinden,
Manche Rätsel würden klar;   1970
Die jetzt, richtend, andre binden,
Stellten selbst sich schuldig dar.

    Ha, ihr schweigt? Blickt auf den Boden?
Seid ihr Männer, wagt's zu sein!
Folgt mir! Hier der Fürstin Zimmer,   1975
Wir zu drei, wir treten ein,
Klagen ihr des Landes Nöten,
Klagen ihr die eigne Not,
Zeigen ihrem Schamerröten,
Wie so machtlos ihr Gebot.   1980
Oh, ich weiß, sie seufzet selber
Unter jener Ketten Last,
Die der Fremde um sie herschlingt
Wie um eine Sklavin fast.
Laßt uns auf die Hohe richten,   1985
Meinem Oheim werde Recht;
Frei und laut vor allem Volke
Tue sich Verborgnes kund,
Und wer schuldig, und wer schuldlos,
Richte weiser Richter Mund.   1990
Einen Schritt schon tat ich selber,
Einen schon hab ich gewagt –
Doch ein Tor, der früher sagt,
Was getan erst nützt und frommt.
Kommt und folget mir zur Fürstin,   1995
Dort allein ist Schutz und Halt;
Dieser Tag, er sei der letzte
Eingedrungner Machtgewalt.
        (Sie gehen auf die Seitentüre rechts zu.)
R u s t a n *(der während der letzten Worte hinter dem Vor-*
        hange hervorgetreten ist, verstellt ihnen den Weg).
Halt noch erst! Gebt euch gefangen!

K a r k h a n. Welchen Rechtes?
R u s t a n.   Hochverräter!   2000
   Zanga! Wachen! Wachen! Zanga!
           (Die drei ziehen die Dolche.)
R u s t a n. Zieht nur aus die feigen Waffen,
   Nicht ein Heer von euresgleichen
   Fürcht ich, einzeln, wie ich bin.
(Aus der Seitentüre links kommt Zanga, durch die Mitteltüre
       ein Hauptmann mit Soldaten.)
R u s t a n. Schafft sie fort, die Hochverräter!   2005
K a r k h a n. Hochverräter? Wir?
R u s t a n.   Ihr leugnet's?
   Blinkt nicht noch in euren Händen
   Der Empörung frecher Stahl?
   Oh, ich kenne euer Treiben!
   In dem Innern eurer Häuser   2010
   Lauern meine wachen Späher,
   Was ihr noch so leis gesprochen,
   Reicht von fern bis an mein Ohr.
   Fort mit ihnen, ohne Zaudern!

   Ich will dieses Land durchflammen   2015
   Wie ein reinigend Gewitter,
   Niederschmettern seine Stämme,
   Aus dem Grund die Wurzeln haun
   Und dem Boden, wenn gereutet,
   Neuen Samen anvertraun!   2020
   Fort mit ihnen!
(Der Hauptmann hat sich Karkhan genähert, der mit einer
bittenden, stummen Gebärde, auf die Tür der Königin zei-
       gend, ihn einzuhalten bittet.)
R u s t a n *(zu Zanga im Vorgrunde, leise).*   Aber du
   Geh zum Kerker jenes Alten,
   Den ich selbst dem Licht erhalten,
   Die Notwendigkeit gebeut:
   Schaff ihn fort!
Z a n g a.   Wohl, Herr, doch wie?   2025
E i n K ä m m e r e r *(kommt aus der Seitentür rechts).*
   Herr, die Königin läßt fragen,
   Welch Geräusch in ihren Zimmern –?

R u s t a n. Früh genug soll sie's erfahren,
   Wenn getan, was not zu tun.
        (Der Kämmerer geht wieder ab.)
R u s t a n *(zu Zanga leise).*
   Schaff ihn fort aus diesen Mauern!   2030
   Laß mit vorgehaltnem Dolch
   Ihn geloben teure Eide;
   Aber, von Gefahr bedrängt,
   Besser er, als – merk – wir beide!
*(Zanga zieht sich zurück; während des Folgenden geht er
          leise fort.)*
R u s t a n *(die Gefangenen erblickend).*
   Ihr noch hier? Fort mit den Frevlern!   2035
H a u p t m a n n. Herr, die Königin naht selber.
          (Er zieht sich zurück.)
*(Zwei Kämmerlinge haben die Seitentüre geöffnet. Gülnare
       tritt heraus mit Begleitung.)*
G ü l n a r e. Man verweigert die Erklärung
   Dem von mir gesandten Diener.
   Hier bin ich, mein eigner Bote,
   Um zu fragen, was geschah.   2040
R u s t a n *(auf Karkhan zeigend).*
   Führt sie fort!
G ü l n a r e.   Wer sind die Leute?
R u s t a n. Hochverräter.
K a r k h a n.   Unterdrückte,
   Die zu deinen Füßen flehn.
         (Die drei knien.)
G ü l n a r e. Laßt sie sprechen.
R u s t a n.   Einverstanden
   Mit dem alten grauen Frevler,   · 2045
   Der nur allzu leicht gebüßt –
K a r k h a n. Einverstanden, wenn er schuldlos,
   Doch sein Feind, wenn er der deine.
   Nicht Verzeihung und nicht Schonung,
   Nur Gehör bitt ich für ihn;   2050
   Was Verbrechern selbst zuteil wird,
   Eines Richters Aug' und Ohr.
G ü l n a r e. Billig scheint, was sie begehren.
R u s t a n. Wär' es so, würd' ich's gewähren.

G ü l n a r e. Und wenn ich's nun selber wünsche?   2055
R u s t a n. Wünsche! Wünsche!
G ü l n a r e.   Und befehle.
R u s t a n. Ließe gleich sich mancherlei
   Noch entgegnen diesem Spruche,
   Der ein Wunsch und ein Befehl;
   Doch, gefällig gegen Damen,   2060
   Füg ich gern mich unbedingt.
   Und schon sandt' ich meinen Diener,
   Der den vielbesprochnen Alten
   Hin vor seinen Richter bringt.
K a r k h a n. Trifft ihn der, ist er verloren.   2065
   Sende selbst nach seinem Kerker,
   Leih ihm selbst ein gnädig Ohr.
G ü l n a r e *(zum Kämmerer).*
   Geh denn hin, und führ ihn vor.
R u s t a n. Halt! *(Dem Kämmerer den Weg vertretend.)*
G ü l n a r e.   Ich sprach!
          (Der Kämmerer geht ab.)
R u s t a n.   Nun wohl, ich sehe,
   Was ein Bund mir schien der Kleinen,   2070
   Und ein Anschlag in geheim,
   Ist ein offenkundig Bündnis
   Zwischen Hohen, zwischen Niedern,
   Gift von Schlangen und Insekten
   Auf des Leuen Untergang.   2075
   Und auf nichts Geringres zielt man,
   Als den überläst'gen Vormund,
   Der mit seines Armes Walten
   Weiberhafter Launen Willkür
   Fern von diesem Reich gehalten,   2080
   Einzuschüchtern, wenn nicht mehr.
G ü l n a r e. Was es sei, es wird sich zeigen,
   Bringt man erst den Alten her.
R u s t a n. Eines nur hast du vergessen:
   Daß des weiten Landes Beste   2085
   Meinem Arm ihr Heil vertraun.
   Meinem Rufe folgt dein Krieger,
   Und dein Höfling meinem Wort;
   Zutraunsvoll der stille Bürger

Sieht nach mir, als seinem Hort.   2090
Ja, der Diener, den du sandtest,
Jenen Alten zu befrein,
Kehrt erfolglos von der Pforte,
Läßt nicht mein Geheiß ihn ein.
Denn des festen Turmes Wache   2095
Steht in meiner Fahnen Eid,
Mit dem Kopf bezahlt der Schwache,
Der ihn ohne mich befreit.
Längst schon dieses Tags gewärtig,
Sah ich so mich weise vor: 2100
Wer von Gnade lebt, ist zaghaft,
Wer auf Dank zählt, ist ein Tor.

G ü l n a r e. Wie nur allzu schnell enthüllst du,
Was die Ahnung längst befürchtet.
Vater, Vater! Welchem Schützer   2105
Gabst dein Liebstes du in Haft!

R u s t a n. Er wohl wußte, wem zu trauen:
Nicht der blöden Scheu, der Kraft.

K a r k h a n.
Fürstin, sei du nicht beklommen,
Noch ist alles nicht verloren,   2110
Mancher Helfer bleibt dir noch.
Meine Freunde stehn in Waffen,
Und was lange still beschlossen,
Frei und offen künd ich's nun.
Während hier zu dir ich spreche,   2115
Sprechen sie zu deinem Volke,
Schütteln ab das feige Joch.
Und schon, dünkt mich, hat's begonnen,
Denn der Helfer seiner Taten,
Sieh, verschüchtert, stumm, beklommen,   2120
Wie nach schlecht vollbrachtem Auftrag,
Kehrt er wieder, ist er da.

Z a n g a *(ist mit allen Zeichen der Verwirrung eingetreten
und hat sich in Rustans Nähe gestellt).*

K a r k h a n. Und herauf die weiten Stiegen
Dringt ein bunt verworrnes Rauschen,
Wie von Tritten, wie von Stimmen.   2125
Ja, dein Volk führt deine Sache,

Und es kam der Tag der Rache.
Siehst du dort? Mein Ohm ist frei!
(Der alte Kaleb erscheint an der Türe. Bewaffnetes Geleite
hinter ihm.)
R u s t a n *(zu Zanga)*. Tor und Schurke!
Z a n g a.   Herr, gar alt
  Ist der Spruch: vor Recht Gewalt.   2130
(Der alte Kaleb ist eingetreten. Da er Rustan erblickt, will
er wieder zurück.)
G ü l n a r e. Bleib du nur und fürchte nichts.
  Ich bin hier zu deinem Beistand.
  Ja, man braucht dein einfach Zeugnis
  Über einen wicht'gen Punkt,
  Den noch Nebel dicht umwallen,   2135
  Und nur dir bekannt von allen:
  Deut uns deines Königs Tod.
R u s t a n. Er ihn deuten? Raserei!
  Er, der selbst der Tat verdächtig,
  Überwiesen wohl sogar,   2140
  Der in jener grausen Stunde
  Schuldig hieß in jedem Munde,
  Stellt sich jetzt, ein Kläger, dar?
G ü l n a r e. Der Verdacht der ersten Stunde
  Ist darum nicht immer wahr.   2145
  Wohl hab ich seitdem vernommen,
  Daß der König, als er hinging
  In den letzten, tiefen Schlaf,
  Diesen hier als Freund umfangen,
  Ihm vertraut die letzten Worte;   2150
  Und er wußte, wer ihn traf.
(Der alte Kaleb ist auf die Knie gesunken, und streckt fle-
hend die Hände empor.)
R u s t a n. Ha, vortrefflich ausgesonnen,
  Nur nicht auch so leicht vollbracht.
  Du vergißt, daß hier dein Zeuge,
  Daß er lautlos wie die Nacht,   2155
  Und mit Blicken und mit Mienen,
  Die ihr schlau ihm beigebracht,
  Kann vor Kindern er bestehen,
  Nicht vor der Gesetze Macht.

G ü l n a r e. Und du selber hast vergessen,   2160
  Daß der Mensch in seiner Weisheit
  Längst ein Mittel ausgedacht,
  Zu verkörpern seine Laute,
  Festzuhalten, was gedacht.
  Dort ein Tisch, Papier und Feder,   2165
  Mit zwei Zügen ist's vollbracht,
  Und ein ärmlich Blatt erhellet
  Des Geschehnen dunkle Nacht.
  Setzt ihn hin und laßt ihn schreiben,
  Ihn beschützet meine Macht.   2170
(Der Alte ist von seinen Verwandten an das Tischchen rechts
im Vorgrunde gesetzt worden. Man hat ihm Schreibgeräte
gegeben.)
R u s t a n. Mag er schreiben, mag er lügen,
  Gleichviel wen, ob mich es trifft.
  (Den Säbel in der Scheide emporhaltend.)
  Meine Feder birgt die Scheide,
  Blut'ge Wunden meine Schrift.
  Geifre Wurm! ich geh, zu ordnen,   2175
  Was unschädlich macht dein Gift.
(Er geht nach dem Hintergrunde zu, bleibt aber in der Mitte,
halb gegen den Alten gewendet, erwartend stehen.)
K a r k h a n *(zu dem Alten).*
  Zittre nicht, sei nicht beklommen,
  Ist es doch schon halb vollbracht!
  Silben bilden sich und Worte. *(Lesend.)*
  »Eures Königs Mörder –«   2180
R u s t a n *(mit heftiger Bewegung, den Säbel halb aus der*
  Scheide gezogen).   Halt!
(Der Alte fährt erschreckt empor und hält sich zitternd am
Tische fest, die Feder entsinkt seiner Hand und fällt auf der
rechten Seite des Tisches zur Erde.)
R u s t a n. Ich verbiete, daß er schreibe!
G ü l n a r e. Ich befehle, daß er's soll!
R u s t a n. Stellt ihn mir! Mir fest ins Auge
  Mag er schauen und vergehn!
  Oder ihr, die ihr so eifrig   2185
  Seine Meuterkünste fördert.
  Ist hier Landes denn nicht Sitte,

Daß in Fällen dunklen Rechts,
Wo's an Licht fehlt und Beweisen,
Beide Teile sich zum Zweikampf   2190
Stellen mit geschärften Eisen?
Auf! Wer ficht für diesen Alten?
Ich will Gegenpart ihm halten.

G ü l n a r e. Nicht wer stärker, wer im Recht,
Zeige Einsicht, statt Gefecht!   2195
Schreib du nur! Wo ist die Feder?
Er verlor sie, bringt ihm neue.

Z a n g a *(der während des Vorigen, in Absätzen sich von
seinem Herrn entfernend, von rückwärts auf die rechte
Seite des Vorgrundes gekommen ist).*
Neu ist gut, doch alt ist besser.
(Er hebt die am Boden liegende Feder auf.)
Hier die Feder!
(Rasch nach dem Eingange blickend.)
    Doch wer naht?
*(Die Blicke der Nächststehenden folgen den seinigen und
wenden sich nach der Türe.)*

Z a n g a. Alter, hier! *(Er reicht ihm die Feder mit der
linken Hand. Während der Alte zögernd darnach greift,
fährt Zanga mit der Rechten, in der er den Dolch verborgen hält, ihm entgegen und verwundet ihn.)*
    Doch sieh dich vor!   2200
*(Der Alte sinkt mit einem unartikulierten Schmerzenslaut in
den Stuhl zurück, die verwundete Rechte mit der Linken,
später mit einem Tuche bedeckend.)*

G ü l n a r e *(nach dem Alten blickend).*
Ha, was ist? Du bist verwundet?
*(Zanga hat die Hand, in der er den Dolch hält, rasch auf
den Rücken gelegt, und sucht den Hintergrund und die Seite
zu gewinnen, wo sein Herr steht.)*

G ü l n a r e. Wo der Täter? Schließt die Türen!

K a r k h a n. Dieser war's! Seht ihr das Blut?
Seht den Dolch in seinen Händen!
Greift ihn!

Z a n g a. Herr, errett, beschütze!   2205

G ü l n a r e. Schütz ihn, ja, und hab's nicht Hehl!
War die Tat doch dein Befehl!

R u s t a n. Mein Befehl? der ich vor allen
 Wünschen muß, daß dieser Mann,
 Der allein den gift'gen Argwohn   2210
 Mir vom Haupt entfernen kann,
 Daß er lebe, daß er fähig –
 Mit der Hand, wenn stumm sein Mund –
 Auszusagen, was ihm kund;
 Und ich sollt' ihn selbst verletzen,   2215
 Selbst Unmöglichkeit mir setzen,
 Mich zu reinen hier zur Stund'?
 Hat ihn dieser hier verwundet,
 Steh dafür er selber ein;
 Wer des Zeugen Worte scheuet,   2220
 Fühlt am mindesten sich rein.
 War denn er nicht auch zugegen,
 Als der alte Fürst erblich?
 Warum einen nur beschuld'gen,
 Teilt der Schein in viele sich?   2225
 Hat sein Arm es nicht vollzogen,
 Tat's vielleicht sein Wort, sein Rat;
 Oh, es gibt der Arten viele,
 Zu begehen eine Tat!
 Und so kehr ich ihm den Rücken,   2230
 Wende ab von ihm den Blick;
 Ist er schuldlos, sei's zum Glücke,
 Schuldig, hab ihn sein Geschick.
Z a n g a. Herr!
R u s t a n.   Umsonst! Der Alte zeugte.
Z a n g a. Das mein Dank?
R u s t a n.   Verräter, Dank?   2235
 Warst nicht du's, der mich verleitet,
 Aus der Heimat mich gerissen,
 Mich umgarnt, umsponnen mich?
Z a n g a. Wohl! Nur eins dient dir zu wissen:
 Stumm der Alte, doch nicht ich!   2240
 Sammelt euch! Ich will verkünden,
 Wie man Reich und Krone finden,
 Heben kann vom Staube sich.
R u s t a n. Zanga!
Z a n g a.   Nun?

R u s t a n.   Du wolltest –?
Z a n g a.   Will!
R u s t a n. Du hast recht! und wir sind töricht,   2245
  Uns dem dunkeln Werk der Lügen,
  Unsrer Feinde Trug zu fügen,
  Nun, da ihre List zerstört.
  Jener Zeuge, dem sie trauten,
  All ihr Treiben auf ihn bauten,   2250
  Ihres Hoffens einzig Pfand,
  Stumm an Zunge, tot die Hand.
  Bleib bei mir, ich will dich schützen,
  Ewig sei der Treue Band!

  Fürstin, ist dir sonst ein Mittel,   2255
  Muß zum letztenmal ich fragen,
  Zu beweisen deine Klagen?
  Noch ein Zeuge? Bring ihn her!
G ü l n a r e. Niemand, nein, als Gott und er.
R u s t a n. Gott ist endlich über allen;   2260
  Aber nicht nur, *was* begangen,
  Sieht das *Wie* auch, das *Warum*.
  Nein, dein Zeuge hier vor Menschen
  Zeuge jetzt zum letzten Male,
  Schweige dann auf immerdar!   2265
  (Er ist zum Tische getreten und hat den darauf liegenden
  Zettel ergriffen, sich damit vor den Alten hinstellend.)
  »Eures Königs Mörder« – Wer?
  Warst du's selbst? Du wirst's nicht sagen.
  War es jener dort, dein Neffe?
  Er, ein Heuchler, und mein Feind?
  War's des Königs eigner Mundschenk?   2270
  Oder sie, des Fürsten Tochter,
  Die, nach Reich und Krone lüstern,
  Vorgriff seinem trägen Ende?

  Nicht mit Winken und Gebärden,
  Deutlich zeug vor dem Gesetz!   2275
  (Mit steigender Schnelligkeit.)
  War's mein Diener, den ich selber
  Angeklagt im Taumelwahn?

War's ein Zufall? war's natürlich?
Waren's Krieger, waren's Bürger?
(Einzelne mit dem Finger bezeichnend.)
Jener? Der dort? Dieser?   2280
D e r A l t e *(der sich während des Vorigen emporgerichtet
und mit blitzenden Augen und hocharbeitender Brust da-
gestanden hat, stammelt jetzt in höchster Anstrengung,
nach einigen unartikulierten Lauten).*   D–U!
G ü l n a r e. Spricht er?
R u s t a n.   Torheit! Aberwitz!
Abgebrochne Schmerzenslaute,
Formt ihr euch zu Sinn und Worten?
Kannst du zeugen, wohl, so zeuge!
Breche dann der Himmel ein.   2285
Gib den Namen und vollende!
(Den Zettel hinhaltend.)
»Eures Königs Mörder« –
D e r A l t e *(nach einigen heftigen Bewegungen plötzlich
die verwundete rechte Hand aus der sie haltenden Linken
loslassend und mit gebrochenen Gliedern in die Arme der
Umstehenden sinkend, leise aber schnell).*   Rustan!
K a r k h a n. Gott, er stirbt!
G ü l n a r e.   O ew'ge Vorsicht!
(Alle um den Alten beschäftigt. Pause.)
R u s t a n. Zanga!
Z a n g a.   Herr!
R u s t a n.   Hast du vernommen?
Z a n g a. Wohl!
R u s t a n.   Es ist nichts Wirklichs, sag ich.   2290
Truggestalten, Nachtgebilde;
Krankenwahnwitz, willst du lieber,
Und wir sehen's, weil im Fieber.
(Es schlägt die Uhr.)
Horch, es schlägt! – Drei Uhr vor Tage.
Kurze Zeit, so ist's vorüber!   2295
Und ich dehne mich und schüttle,
Morgenluft weht um die Stirne.
Kommt der Tag, ist alles klar,
Und ich bin dann kein Verbrecher,
Nein, bin wieder, der ich war.   2300

(Eine Dienerin der Königin, die sich früher entfernt, kommt mit einem Fläschchen zum Beistande des Verwundeten zurück.)

R u s t a n. Sieh, ist das nicht Muhme Mirza? –
  Auch ein Nachtgebild', wie jene,
  Die dort um den Alten stehn!
  Sieh, ich hauche, sie vergehn.

    Wie? sie bleiben? nahen? dräuen?   2305
  Eingetaucht denn nur von neuen,
  Laß uns nach dem Weitern sehn.
G ü l n a r e *(sich von dem Alten emporrichtend).*
  All umsonst! die Pulse stocken;
  Nur zu sicher, er verging.
  (Rustan erblickend.)
  Du noch hier? noch immer trotzend?   2310
R u s t a n. Fürstin, halt! und ohne Hast!
  Was hier wirklich, was geschehen,
  Wieviel mir dran fällt zur Last,
  Laß uns rechnen, laß uns abziehn,
  Mir, was mein, dir, was du hast.   2315
  Manchen Dienst bist du mir schuldig,
  Manches Gute dies dein Land,
  Und doch schenk ich dir's zur Stunde,
  Lasse los all was dich band.
  Wähle von den reichsten Schätzen,   2320
  Nimm die köstlichsten Provinzen,
  Kleinod, Perlen, Edelstein;
  Mir laß eine leere Wüste,
  Wo Verlangen buhlt mit Armut,
  Wo kein Gold als Sonnenschein.   2325
  Doch die Herrschaft, sie sei mein.
G ü l n a r e. Dir die Herrschaft? Herrsch in Ketten!
  Nehmt gefangen ihn!
R u s t a n.   Bedenk!
  (Der Hintergrund hat sich nach und nach mit Soldaten gefüllt.)
  Nur ein Wort, und diese Krieger,
  Deren Abgott ich in Schlachten –   2330
G ü l n a r e. Für mich, doch nicht gegen mich!

Schau, sie fliehen deine Reihen!
Kommt zu mir her, meine Treuen!
(Die Krieger, die auf Rustans Seite gestanden haben, schlie-
ßen sich einer nach dem andern, samt den Anführern, der
*   gegenüberstehenden Reihe an.)*
R u s t a n *(ihnen zurufend).*
  Halt!
G ü l n a r e.   Verlaßt ihn, der mein Feind!
    (Alle, bis auf einige wenige, sind übergetreten.)
R u s t a n *(den Säbel ziehend).*
  Nun, wohlan, so gilt's zu fechten!   2335
  Hier mein Säbel, Zanga, bind ihn,
  Bind ihn fest mit ehrnen Ketten.
  Will den Kampfplatz denn betreten,
  Erst im Tod laß ich den Stahl.
Z a n g a *(vor sich hin).* Hier wird's heiß nun allzumal. 2340
  (Er entfernt sich hinter Rustans Rücken durch die Seiten-
  türe links, die offenstehen bleibt.)
R u s t a n *(in Fechterstellung).*
  Kommt nur an! Ihr alle, alle!
G ü l n a r e *(ihm entgegentretend).*
  Diese nicht, sie sind nur Diener;
  Triff mich selber, hast du Mut!
R u s t a n *(zurückweichend).*
  Alle, nur nicht dich!
G ü l n a r e.   Ei, Kühner!
  Trafst den Vater; scheust du Blut?   2345
R u s t a n *(sich vor ihr zurückziehend).*
  Zanga! Zanga !
G ü l n a r e.   Nun mag's gelten!
  Nun an euch! Nun nehmt ihn fest!
(Sie tritt nach der rechten Seite des Vorgrundes. Die dort
Aufgestellten, Karkhan an ihrer Spitze, wenden sich nach
*   dem Hintergrunde. Gefecht.)*
R u s t a n s S t i m m e. Zanga! Zanga! Meine Pferde!
E i n e D i e n e r i n. Fürstin, schau dort durch die Zimmer,
  Wo der Schwarze kaum entwich,   2350
  Sieh, mit hellentflammter Fackel
  Ihn das weite Schloß durcheilen,
  Und ich sorg, er steckt's in Brand.

G ü l n a r e. Mag das Schloß, ich selbst vergehen,
  Fällt nur er von ihrer Hand! 2355
*(Sie eilt mit ihren Dienerinnen durch die Seitentüre rechts
ab. Der Alte ist schon früher weggebracht worden. Das Gefecht hat sich zur Türe des Hintergrundes hinausgedrängt.
Waffenlärm. Kurze Pause. Dann ertönen aus der Türe links
einige Harfenakkorde, dazwischen Rustans Stimme, die wie-
derholt »Zanga!« ruft. Die Szene schließt.)*

*Kurzes ländliches Zimmer mit einer Türe im Hintergrunde
und einer Seitentüre rechts. Dichtes Dunkel.*

M i r z a *(tritt mit einer Lampe, vom Hintergrunde her,
  auf)*. Horch! war das nicht seine Stimme?
  Überall, dünkt mich, hör ich ihn,
  Hilfeflehend, Beistand rufend,
  Wie in tödlicher Gefahr. *(An der Türe links horchend.)*

  Und ich bin allein, und niemand 2360
  Hört mich an und tröstet mich,
  Schilt mich töricht, nennt ihn sicher,
  Wahrhaft nichts als meinen Schmerz.

  Nein, ich kann es nicht ertragen!
  Muß ein nahes Wesen suchen, 2365
  Auszuschütten meinen Kummer,
  Zu erleichtern dieses Herz! *(An der Türe rechts.)*
  Vater, kannst du ruhig schlafen,
  Denkst nicht mein und meiner Angst?
M a s s u d s S t i m m e *(aus der Seitentüre rechts)*.
  Mirza, du?
M i r z a.   Ich bin's, bin's selber. 2370
  Wachst du, so wie ich in Kummer?
  Bist besorgt um ihn, gleich mir?
M a s s u d *(von innen)*. Ist's schon spät?
M i r z a.   Drei Uhr vor Tage.
M a s s u d. Tritt nur ein.
M i r z a.   Zu dir?
M a s s u d.   Jawohl!
  Gehn zusammen dann hinüber. 2375

M i r z a. Wirklich? – O mein guter Vater!
    Sieh, ich komme! – Und ihr Götter,
    Euch sei er indes vertraut!
    Während ich auf andres denke,
    Während ich von anderm spreche,   2380
    Schützet ihr den teuren Mann!
    Nicht vor Leiden nur und Nöten,
    Auch vor Wünschen und Gedanken,
    Daß kein Unheil mir ihn anficht,
    Bis mein Innres wieder bei ihm,   2385
    Und ich wieder beten kann.
M a s s u d s S t i m m e. Kommst du nicht?
M i r z a.   Sieh nur, hier bin ich.
    (Die Türe öffnend.)
    Schon vom Lager? Schon gekleidet?
    Oh, mein Vater! Oh, wie gut! *(Sie geht hinein.)*

Waldgegend. Rechts im Vorgrunde der hereinspringende
Fels, im Hintergrunde die Brücke, wie zu Anfang des zwei-
ten Aufzuges. Dunkel.
    Ferner Schlachtlärm, der sich allmählich verliert.
    Dann kommt Rustan, verwundet, auf Zanga gestützt.

R u s t a n. Zanga, schau, wie steht das Treffen?   2390
Z a n g a. Treffen? Sag vielmehr: die Flucht!
    Rings verlassen dich die Deinen,
    Und der Rest, er liegt erschlagen
    Unter Feindesschwerter Wucht.
R u s t a n. Dahin kam es? Das das Ende?   2395
Z a n g a. Ei, verklage deine Hände!
    Wie man schlägt, so fliegt der Ball.
    Hättest du, so wie ich wollte,
    Als der Feind uns hart bedrängte
    In der buntverworrnen Stadt,   2400
    Wenn du damals mir vergönntest,
    Feuerbrände einzuschleudern
    In die schreckgeleerten Gassen,
    In der Häuserreihe Zahl,
    Hätten uns wohl ziehen lassen,   2405
    Stünde besser allzumal.

R u s t a n. Ungeheuer! So viel Leben! –
Und wer weiß, ob es gelang?
Z a n g a. Ob's gelang? Da sitzt der Knoten!
Nicht, weil's Frevel, weil's gefährlich,   2410
Macht's der frommen Seele bang.
Und mit also schwankem Gang,
Mit so ärmlich halbem Mute
Wolltest du der Herrschaft Sprossen,
Du den steilen Weg zum Großen,   2415
Du erklimmen Macht und Rang?
Bunt gemengt aus manchen Stoffen
Ist das Roherz der Gewalt,
Kaum der Brand von zehen Reichen
Gnügt, die Mischung auszugleichen,   2420
Die im Tiegel kocht und wallt;
Doch ein Säkul erst im Nacken,
Dem Vergangnen ist man hold,
Feuer reint Metall von Schlacken,
Und der König glänzt wie Gold.   2425
Doch du konntest's nicht ertragen,
Eng der Sinn, das Aug' nur weit,
Willst du siegen, mußt du wagen;
Kehre denn zur Niedrigkeit!
R u s t a n.
Das zu hören von dem Diener,   2430
Von der Frevel Stifter, Helfer!
Z a n g a. Helfer? Stifter? Das vielleicht!
Aber Diener? Laß mich lachen!
Wessen Diener? wo der Herr?
Bist du nicht herabgestiegen,   2435
Nicht gefallen von der Höhe,
Die mein Finger dir gewiesen,
Weil dem mächt'gen Willensriesen
Fehlte Mut zur kühnen Tat?
Gleich umfängt uns Schuld und Strafe,   2440
Gleich an Anspruch, Rang und Macht;
Und wie gleich im Mutterschoße,
Schaut als Gleiche uns die Nacht.
R u s t a n. Nun, wohlan, so rett uns beide!
Sinn auf Mittel, steh bei mir!   2445

Denn welch Ausweg bliebe dir,
Der gewußt um solche Taten?
Z a n g a. Welcher Ausweg? Dich verraten!
Oder glaubst du, kleinen Sold
Zahlt man dem, der aus dich liefert?   2450
Ei, dein Kopf ist eitel Gold!
R u s t a n *(einen Hieb nach ihm führend).*
Teufel! Ungeheuer!
Z a n g a *(mit dem Schwert, das er entblößt unter dem*
Mantel getragen, den Streich auffangend und ihm den
Säbel aus der Hand schlagend).
Halt!
Darauf war ich vorbereitet.
Vorsicht übt man mit euch Herrn,
Die Verzweiflung schlägt gar gern!   2455
Und was hält mich nun noch ab,
Dir den langgedehnten Stahl
Gradaus in die Brust zu stoßen,
Übend so die eigne Rache,
Des zertretnen Landes Sache   2460
Eines Streichs mit einem Mal?
Und doch nein; schrick nicht zurück!
Warst du gleich ein schwacher Schüler,
Warst mein Schüler immer doch,
Das Gebilde meiner Hände   2465
Ehr ich selbst zerschlagen noch.
Fliehe du, ich bleibe hier;
Sammle deines Glückes Trümmer,
Sonne mich in neuem Schimmer,
Du giltst tot. Der Lohn wird mir.   2470
(Nach dem Hintergrunde zeigend.)
Dort dein Weg! Nach dorthin flieh!
R u s t a n. Zanga, noch zum letzten Male!
Geh mit mir! Denk, was ich war;
Wie die Menschen mir gehuldigt;
Denk der Gnaden, die ich häufte   2475
Auch auf dich, ob deinem Haupt.
Z a n g a. Als du mich des Mords beschuldigt,
Weil du hilflos mich geglaubt?
R u s t a n. Eins und alles sei vergessen!

Bin verwundet, steh mir bei! 2480
Nicht des Pfads, der Gegend kundig.
Z a n g a. Nicht der Gegend? Ha, ha, ha!
Sieh um dich, es ist dieselbe,
Wo den König du gerettet,
Du und einer noch zumal; 2485
Wo du jenen andern trafst.
Siehst du dort die dunkle Brücke?
Sie, der erste Weg zum Glücke,
Sei nun auch des Unheils Pfad.
R u s t a n. Weh mir, weh!
Z a n g a *(auf die Brücke zeigend).*
      Nach dorthin flieh! 2490
R u s t a n. Nimmermehr betret ich sie!
Dort hinaus! *(Nach der rechten Seite gewendet.)*
Z a n g a. Ei ja! ei ja!
Doch bemerk nur erst die Flämmchen,
Die die Gegend rings durchziehn.
Sind nicht Geister der Erschlagnen, 2495
Krieger sind's, die Fackeln tragen,
Suchend dich!
R u s t a n *(nach links gekehrt).*
    Nun denn, zurück!
Rück den Weg, auf dem wir kamen.
 (Entfernte Trompetenklänge von der linken Seite.)
Z a n g a. Horch! Was dünkt dir von dem Klang?
Die Verfolger auch im Rücken, 2500
Eingeengt bist du, umgarnt,
Traust du noch nicht dem, der warnt?
Dort dein Weg!
R u s t a n *(der den emporsteigenden Weg betreten hat, der
zur Brücke hinanführt, stehenbleibend).*
   Ich kann nicht, kann nicht!
Daß ich jemals dir getraut!
Z a n g a. Fühlst du's jetzt erst, da's zu spät? 2505
R u s t a n. O mir schwindelt, o mir graut!
Fahles Licht zuckt durch die Gegend,
Fieber rasen im Gehirne,
Und die schwankenden Gestalten,
Nicht zu fassen, nicht zu halten, 2510

Drehen sich im Wirbeltanz.
Feind! Versucher! Böser Engel!
Wohin schwandst du? Bist so dunkel!

Z a n g a *(der Mantel und Kopfbedeckung weggeworfen hat*
und in ganz schwarzer Kleidung dasteht).
Mir ist warm, und ich bin schwarz.

R u s t a n. Schlangen scheinen deine Haare!   2515

Z a n g a *(zwei flatternde Streifen, die sein Haupt um-*
schlingen, aus den Haaren ziehend).
Bänder, Bänder! nichts als Bänder!

R u s t a n. Und das Kleid auf deinem Rücken
Dehnt sich aus zu schwarzen Flügeln.

Z a n g a. Böse Falten, und doch gut auch.
So trägt man's bei uns zulande.   2520

R u s t a n. Und zu deinen Mörderfüßen
Leuchtet's fahl mit düsterm Glanz.

Z a n g a *(einen gestielten kolbenartigen Körper aufhebend,*
der schon früher am Boden lag, aber erst jetzt zu leuchten
anfängt). Faules Holz und Moderschwamm!
Doch zu brauchen, dient als Leuchte.
(Den Körper emporhaltend, der ein stärkeres Licht gibt.)
Leuchtet dir hinab zum Abgrund.   2525
Dort hinauf! dort nur ist Rettung.
Bist umsponnen, siehst du? Feinde!

(Auf der rechten Seite des Vorgrundes treten Gewaffnete auf.)

A n f ü h r e r. Ja, er ist's! Gib dich gefangen!

R u s t a n. Weh!

Z a n g a.   Hinauf!

(Auf der linken Seite, hinter Zangas Rücken, erscheinen
Krieger.)

A n f ü h r e r.   Hier ist der Frevler.

Z a n g a. Nur hinauf!

R u s t a n *(eilt den Weg zur Brücke hinauf).*

A n f ü h r e r *(der auf der linken Seite stehenden Krieger).*
Verrennt den Weg ihm!   2530
(Einige folgen ihm.)

R u s t a n *(erscheint neben der Brücke).*
Zanga!

Z a n g a. Nur die Brücke frei noch!
(Rustan hat die Brücke betreten.)

*(Auf der rechten Seite der Anhöhe erscheint Gülnare mit
Gefolge und Fackeln.)*

G ü l n a r e. Halt! du Blut'ger!

Z a n g a.   Willst du fallen
  Von des Henkers Hand, ein Feiger?
  Nun stehst du am rechten Platze!
  Stürz hinab dich in die Fluten,   2535
  Stirb als Krieger, fall als Held!

G ü l n a r e. Gib dich! gib dich!

*(Von allen Seiten sind Krieger mit Fackeln aufgetreten. Die
Gewaffneten dringen näher.)*

Z a n g a.   Mir! Verloren!

*Eine Rustan ähnliche Gestalt stürzt sich in den Strom. In
demselben Augenblicke bricht der Fels rechts im Vorgrunde
zusammen. Rustan auf seinem Bett liegend wird sichtbar,
die beiden Knaben, wie am Schlusse des ersten Aufzuges,
ihm zur Seite. Ein Schleier zieht sich über die Gegend, ein
zweiter, ein dritter. Die Gestalten werden undeutlich. Zanga
versinkt, Wolken bedecken das Ganze.*

R u s t a n *(sich im Schlafe bewegend).*
  Weh mir, weh! ich bin verloren!

*(Der zu Füßen des Bettes stehende, dunkelgekleidete Knabe
zündet seine Fackel an der brennenden des zu Häupten stehenden buntgekleideten an, der dafür die seine gegen den
Boden auslöscht. Rustan erwacht. Die Knaben versinken.
Die Wolken rückwärts verziehen sich. Das Innere der Hütte
erscheint, wie im ersten Aufzuge.)*

R u s t a n *(emporfahrend und seine Arme befühlend).*
  Leb ich noch? Bin ich gefangen?
  So verschlang mich nicht der Strom?   2540
  Zanga! Zanga! O mein Elend!

Z a n g a *(in seiner Haustracht, wie im ersten Aufzuge, tritt
ein mit einer Lampe, die er hinsetzt).*
  Endlich wach! Der Morgen graut,
  Und die Pferde stehn bereitet.

R u s t a n. Unhold! Mörder! Schlange! Teufel!
  Kommst du her, um mein zu spotten?   2545
  Sind gleich Vipern deine Haare,

Flammen deiner Augen Sterne,
Und ein Blitz in deiner Hand,
Doch, ein Sterblicher, Verlockter,
Will ich kühlen meine Rache,   2550
Und der Dolch hier soll versuchen,
Ob dein Leib von gleichem Erz,
Als die Stirn, der Grimm, das Herz.
(Er hat den Dolch ergriffen, der neben seinem Bette hängt,
*   im Begriff ihn zu schleudern.)*
Z a n g a. Hilfe! Weh, er ist von Sinnen!
Mirza! Massud! Hört denn niemand?   2555
                (Er entflieht.)
R u s t a n. Er entfloh! Ich bin nicht machtlos,
Seine Macht nicht unbezwinglich!
Und nun fort aus diesen Räumen,
Rings umstellt mit Todesgrauen!

    Nur noch erst verlöscht das Licht   2560
Das mich kund gibt meinen Feinden.
(Er bläst die Lampe aus. Durch das breite Bogenfenster,
das die größere Hälfte des Hintergrundes einnimmt, sieht
man den Horizont mit den ersten Zeichen des anbrechen-
den Tages besäumt.)
Wo die Türe? Ist kein Ausgang
Aus den Schrecken dieser Orte?
Muß ich hier denn untergehn?
Horch! man kommt! So will ich teuer   2565
Nur verkaufen dies mein Leben;
Tod empfangen, doch erst geben.
(Er ergreift den neben seinem Bett stehenden Säbel.)
(Massud und Mirza kommen. Letztere trägt eine hell-
*   brennende Leuchte in der Hand.)*
R u s t a n. Ha, der König? und Gülnare?
Nicht der König! – Wär' es möglich?
Du scheinst Massud. – Mirza! Mirza!   2570
Seid ihr tot, und bin ich's auch?
Wie kam ich in eure Mitte?
Sehe wieder diese Hütte?

    Oh, verschwende nicht dein Anschaun,

Diese liebevollen Blicke, 2575
An den Dunkeln, den Gefallnen!
Denn was mir die Liebe gibt,
Zahl ich rück mit blut'gem Hasse. –
Und doch nein, dich haß ich nicht!
Nein, ich fühl's, dich nicht. – Und dich nicht. – 2580
Haß? – Oh, mit welch warmen Regen
Kommt mein Innres mir entgegen?
Hasse euch nicht! Hasse niemand!
Möchte aller Welt vergeben,
Und mit Tränen, so wie ehmals 2585
In der Unschuld frommen Tagen,
Fühl ich neu mein Aug' sich tragen.
M i r z a. Rustan!
R u s t a n.　　　Nein, bleib fern von mir!
Wüßtest all du, was geschehn,
Seit wir uns zuletzt gesehn. 2590
M i r z a. Uns gesehn?
R u s t a n.　　　Den Tagen, Wochen –
M i r z a. Wochen? Tagen?
R u s t a n.　　　Weiß ich's? Weiß ich's?
Furchtbar ist der Zeiten Macht.
M i r z a. War's denn mehr als eine Nacht?
Z a n g a *(in der Türe erscheinend).*
Herr, befiehlst du nun die Pferde? 2595
M i r z a. Ach, erinnre dich doch nur!
Gestern abends – Sag ihm's, Vater,
Mir wird gar zu schwer dabei.
M a s s u d. Gestern abends, weißt du nicht?
Wolltest du von uns dich trennen, 2600
Du befahlst für heut die Pferde.
Es ist Tag, und sie sind hier.
R u s t a n. Gestern abends?
M a s s u d.　　　Wann nur sonst?
R u s t a n. Gestern abends? Und das alles,
Was gesehen ich, erlebt, 2605
All die Größe, all die Greuel,
Blut und Tod, und Sieg und Schlacht –
M a s s u d. War vielleicht die dunkle Warnung
Einer unbekannten Macht,

Der die Stunden sind wie Jahre   2610
Und das Jahr wie eine Nacht,
Wollend, daß sich offenbare,
Drohend sei, was du gedacht,
Und die nun, enthüllt das Wahre,
Nimmt die Drohung samt der Nacht.   2615
Brauch den Rat, den Götter geben,
Zweimal hilfreich sind sie kaum.
R u s t a n. Eine Nacht? und war ein Leben.
M a s s u d. Eine Nacht. Es war ein Traum.
Schau, die Sonne, sie, dieselbe,   2620
Älter nur um einen Tag,
Die beim Scheiden deinem Trotze,
Deiner Härte Zeugnis gab,
Schau in ihren ew'gen Gleisen
Steigt sie dort den Berg hinan,   2625
Scheint erstaunt auf dich zu weisen,
Der so träg in neuer Bahn;
Und mein Sohn auch, willst du reisen,
Es ist Zeit, schick nur dich an!
(Die durch das Fenster sichtbare Gegend, die schon früher
alle Stufen des kommenden Tages gezeigt hat, strahlt jetzt
im vollen Glanze des Sonnenaufganges.)
R u s t a n *(auf die Knie stürzend)*.
Sei gegrüßt, du heil'ge Frühe,   2630
Ew'ge Sonne, sel'ges Heut!
Wie dein Strahl das näct'ge Dunkel
Und der Nebel Schar zerstreut,
Dringt er auch in diesen Busen,
Siegend ob der Dunkelheit.   2635
Was verworren war, wird helle,
Was geheim, ist's fürder nicht.
Die Erleuchtung wird zur Wärme,
Und die Wärme, sie ist Licht.

    Dank dir, Dank! daß jene Schrecken,   2640
Die die Hand mit Blut besäumt,
Daß sie Warnung nur, nicht Wahrheit,
Nicht geschehen, nur geträumt;
Daß dein Strahl in seiner Klarheit,

Du Erleuchterin der Welt, 2645
Nicht auf mich, den blut'gen Frevler,
Nein, auf mich, den Reinen fällt.

Breit es aus mit deinen Strahlen,
Senk es tief in jede Brust:
Eines nur ist Glück hienieden, 2650
Eins, des Innern stiller Frieden,
Und die schuldbefreite Brust.
Und die Größe ist gefährlich,
Und der Ruhm ein leeres Spiel;
Was er gibt, sind nicht'ge Schatten, 2655
Was er nimmt, es ist so viel.

So denn sag ich mich auf immer
Los von seiner Schmeichelei,
Und von dir, noch auf den Knien,
Fleh ich, Ohm, der Gaben drei. 2660
M i r z a. Rustan! Vater!
R u s t a n.   Erst verzeih!
Nimm, geneigt der heißen Bitte,
Wieder auf in deine Hütte
Den Verirrten, seine Reu'!
M i r z a. Hörst du, Vater?
M a s s u d.   Oh, wie gerne! 2665
R u s t a n. Dann gib dem Versucher dort,
Ihm, vor dem gewarnt die Sterne,
Gib die Freiheit ihm, gib Gold,
Laß ihn ziehn in alle Ferne!
Z a n g a. Herr!
R u s t a n *(zu Zanga)*.
                Ich will's! – Ich bitte, Vater! 2670
M a s s u d. Du begegnest meinen Wünschen.
(Zu Zanga.)
Ziehe hin, denn du bist frei!
Nimm dir eins der beiden Pferde.
Was des Säckels Inhalt faßt,
Den ich gab als Reisezehrung, 2675
Es sei dein, nur aber scheide!
Z a n g a. Wirklich frei?

M a s s u d.			Du bist's!
Z a n g a *(gegen Rustan).*			Was sag ich?
R u s t a n. Zeig den Dank, indem du gehst.
Z a n g a. Ich benütz die erste Freude.
   Lebt denn wohl, ihr Guten beide!				2680
   Schöne Jungfrau, seid bedankt.
   Und nun fort, durch Busch und Heide!
      (Mit einem Sprung zur Türe hinaus.)
R u s t a n *(der aufgestanden ist).*
   Nun zur letzten meiner Bitten!
   Gestern abend, noch beim Scheiden,
   Ließest du mich hoffen, glauben,				2685
   Daß hier diese, deine Tochter –
M a s s u d. Davon schweig, und sprich nicht weiter!
   Dies mein Haus und jede Gabe
   Teil ich mit dem Reu'gen gern,
   Doch was mehr als Haus und Habe,				2690
   Meines Lebens tiefsten Kern,
   Damit laß für jetzt mich sparen,
   Bis die Zeiten offenbaren,
   Ob, was floh, auf immer fern.
R u s t a n. Oheim, wie? und du kannst zweifeln?				2695
M a s s u d. Nicht, daß jetzo du so fühlst,
   Doch vergiß es nicht, die Träume,
   Sie erschaffen nicht die Wünsche,
   Die vorhandnen wecken sie;
   Und was jetzt verscheucht der Morgen,				2700
   Lag als Keim in dir verborgen,
   Hüte dich, so will auch ich.
R u s t a n. Oheim, höre!
M i r z a.			Hör ihn, Vater!
M a s s u d. Du auch trittst auf seine Seite?
M i r z a. Ist er doch so mild und gut.				2705
      (Leise Klänge lassen sich hören.)
M a s s u d. Horch!
M i r z a.			Mein Vater!
M a s s u d.				Leise Töne!
M i r z a. Sprich ein Wort!
M a s s u d.				Sie kommen näher.
(Zanga und der alte Derwisch gehen außen am Fenster vor-

über. Der Alte spielt die Harfe, Zanga bläst auf der Flöte
dazu. Es ist die am Ende des ersten Aufzuges gehörte
Melodie.)

M a s s u d. Ist das Zanga nicht, der Schwarze?
   Und der Greis an seiner Seite –
R u s t a n. Weh! Entsetzen!
M i r z a.   Und warum?   2710
   Ist es doch der güt'ge Derwisch,
   Er, der wundertät'ge Mann,
   Der mit Raten und mit Lehren
   Vatergleich an mir getan.
R u s t a n. Nun hinab, ihr dunkeln Träume!   2715
   Vater, sprich ein gütig Wort!
M a s s u d. Schau, sie nahen, schau, sie kommen!
   Neigen nun sich vor der Sonnen.
M i r z a. Vater! sprichst du nicht?
M a s s u d *(leise).*   Ei später!
   Laß uns horchen jetzt. Nur leis!   2720
R u s t a n *(ebenso).* Aber dann –?
M i r z a. *(ebenso).*   Versprich es!
M a s s u d.   Stille!
R u s t a n und M i r z a *(sich umfassend).*
   Vater! Oheim!
M a s s u d *(noch immer nach außen hinhorchend, mit der*
   linken Hand das Zeichen der Einwilligung gebend, leise).
         Ja doch; sei's!
(Die beiden sinken, ihn und sich umfassend, auf die Knie.
   Die Töne klingen noch immer fort.)
       (Der Vorhang fällt.)

NACHWORT

Egon Friedell hat 1918 in einem Inszenierungsvorschlag zu *Der Traum ein Leben* geltend gemacht, Grillparzer (1791–1872) habe »die psychologischen Gesetze des Traumlebens in oft bewunderungswürdig feinen Details« widergespiegelt. Dieser Hinweis schien ihm damals geboten, da die Theaterpraxis die Rustan-Rolle bislang als die eines jugendlichen, idealischen Helden interpretierte, der seine unbezähmbare Vitalität, seine visionäre Kraft und seinen unbeugsamen Willen in heroische Handlungen und übermütige Taten umsetzt. Den idealistischen oder aktionistischen Inszenierungskonzeptionen blieb Rustans gespaltener, zerrissener Charakter, sein Schwanken zwischen Ohnmachtsgefühlen und Omnipotenzphantasien, zwischen Mediokrität und Übermenschentum, überhaupt die dramatische Expedition ins Reich des Unbewußten weitgehend verborgen. Rustans Traum-Odyssee mußte der Leser Freuds anders verstehen: die Verdrängung von Wünschen, die Wunscherfüllungsträume und ihre Symbolik verwiesen ihn auf dessen *Traumdeutung* (1900), und der Schluß lag nahe, Freud habe auf den Begriff gebracht, was Grillparzer an seinen Figuren exemplarisch demonstriert habe. Fast am Ende des dramatischen Märchens gibt Massud eine Deutung der Ereignisse:

> Doch vergiß es nicht, die Träume,
> Sie erschaffen nicht die Wünsche,
> Die vorhandnen wecken sie;
> Und was jetzt verscheucht der Morgen,
> Lag als Keim in dir verborgen [...].

Einige andere Stichworte lassen sich in diesem Kontext noch zusammenstellen: Ich-Ideal und Größenselbst, ödipale Konstellation und obligater Strafwunsch, Narzißmus und Suizid, Selbstwertgefühl und Kastrationskomplex, Ich-Verlust und Sprachverwirrung – all dies findet sich in dem exotischen Märchenspiel thematisiert. Wird mit C. G. Jung angenommen, daß sich die individuelle Entwicklung des Menschen entsprechend seiner Fähigkeit zur Bildung von Symbolen vollzieht, mit andern Worten: daß er sich in individuellen und kollektiven Symbolschöpfungen begreift und dadurch entwickelt, so bietet das Drama die Fallstudie eines Individuationsprozesses, und es dokumentiert die Genese der Hauptfigur zu personaler Ganzheit. Antrieb ist die Libido, die psychische Gesamtenergie, die sich als »Gegensatzspannung« einen polaren Ausdruck verschafft und ihr vollkommenstes Symbol im Bilde der Sonne findet, der Projektion der gesamten Libido auf einen Gegenstand. »Die Sonne ist [...] eigentlich das einzig vernünftige Gottesbild [...]. In der Sonne als natürlichem Dinge, das keinem menschlichen Moralgesetz sich beugt, läßt sich der Widerstreit, dem die Seele des Menschen durch die Wirkung der Moralgesetze anheimgefallen ist, zu völliger Harmonie auflösen« (Jung). Diese Symbolik verdankt sich einer dualistischen Weltauffassung, die geistesgeschichtlich ihre Wurzeln in der Philosophie Zoroasters, im Manichäismus und in der Gnosis besitzt. So erklärt sich Rustans Gebet an Helios, am Ende verneigen sich Zanga und der Derwisch vor der Sonne, dem Symbol vollkommener Gerechtigkeit und Ganzheit.

Auf die Ausgestaltung der Übergänge von Traum und Wirklichkeit hat Grillparzer viel Kunstverstand verwendet, wie die dezidierten Regieanweisungen belegen. Die beiden Knaben mit den Fackeln fungieren als Allegorien von Nacht und Traum und als Todesgenien; dann ermöglichen das Einfügen der realen Zeit in die Traumzeit, die Spuren von Tagesresten in der Traumhandlung, endlich die Doppelbesetzungen der Rollen aus beiden Handlungsbereichen eine Verquickung beider Sphären. Exotistische Requisiten und Märchenversatzstücke gehören zum Fundus dieses Traumspieles, das seine Abkunft aus dem Wiener Volkstheater nicht verleugnen kann. Bei der Uraufführung 1834 (entstanden ist das Drama zwischen 1817 und 1831) am Burgtheater mochte mancher Zuschauer sich an die *Zauberflöte* erinnert fühlen. Das Zauberspiel, das Läuterungsdrama oder Besserungsstück, vor allem jedoch die spanische Barockliteratur haben Grillparzer beeinflußt. Das Leben als Traum ist ein dominierendes Thema der Barockliteratur; das menschliche Dasein, der Vanitas unterstellt, wird zu einer Rolle, die auf der Bühne des Lebens gespielt wird: Theatrum mundi. Calderóns *Das Leben ein Traum* (1634) ist für Grillparzer denn auch die wichtigste Vorlage gewesen; eine weitere Anregung ist durch Voltaires *Le Blanc et le Noir* gekommen. Wie bei der *Ahnfrau* wählte Grillparzer den in der deutschen Literatur recht seltenen vierhebigen Trochäus des spanischen Dramas.

Den Rahmen der Traumhandlung bildet eine biedermeierlich
beruhigte Welt der stillen Tätigkeit und Sorge, eine Idylle, die
keineswegs fraglos verbindlich bleibt, da sie nicht zuletzt einen
Reflex auf die zeitgeschichtliche Situation, auf die Restaura-
tionsepoche, darstellt. Die Verurteilung freien geschichtlichen
Handelns eines selbstermächtigten Subjekts entspricht und folgt
den Grundsätzen der Restaurationsideologie, dem »kategori-
schen Traditionalismus«. Insofern darf man vielleicht in *Der
Traum ein Leben* gar die psychopathologische Inspektion einer
Epoche erkennen.

Die Andeutung des Verhältnisses von Herrschaft und Knecht-
schaft mag noch Interesse verdienen. Das klägliche Scheitern
von Rustans tyrannischer Traum-Herrschaft befreit den Knecht
Zanga, der bisher das gegensätzliche Prinzip, das wahrhafte
Selbstbewußtsein seines Herrn, repräsentierte, und läßt ihn den
Herrn, dem die Gesinnung des Knechts eignet, verurteilen. Der
Knecht erscheint als die Wahrheit des Herrn und der Herr als
das Werk des Knechts. Letzthin führt die Freiheit des Herrn
dann zur Befreiung des Knechts und dessen Knechtschaft zur
Unterwerfung des Herrn im Rückzug aus der Welt und in der
Beschränkung des Lebens; dieser begibt sich in die Gefangen-
schaft der Ruhe eines biedermeierlichen ungeschichtlichen
Ideals. Die Befreiung Zangas gelingt aber nur im Kontext der
trügerischen Harmonie einer restaurativen Idylle. Bezeichnend
ist der Umstand, daß das Drama und sein Autor mit der
befreiten Figur des Dieners (nach der realen Freilassung durch
Massud) nichts mehr anzufangen wissen. Das Finale der patriar-
chalischen Idylle wird mithin zum Eingeständnis, daß Freiheit
ihren Sinn verloren habe. Dieser Schluß – Resultat der Reflexion
geschichtlicher Umstände – bedeutet aber nicht das letzte Wort
Grillparzers. Mit der Gestalt des Derwischs, die erst in einer
späteren Entwicklungsstufe des Dramas eingeführt worden ist
und äußerlich die Einheit des ersten mit dem letzten Akt an-
deuten soll, fügt Grillparzer sein eigenes Bekenntnis ins Werk:
autonomes Denken und Sammlung, eine selbständige Kunst
außerhalb der bedrängenden Lebensbezüge proklamiert das Lied
des Derwischs, dem sich der freie Zanga anschließt, als gültige
Wahrheit. So erhellt, daß gerade die Idylle als Antwort auf die
Befreiung Zangas verworfen wird, aber nicht dieser Akt selbst.

Helmut Bachmaier